INITIATION AUX MYSTÈRES
DE LA TERRE

Déjà parus

Philip Carr-Gomm, *Initiation à la tradition druidique*
Stewart Mitchell, *Initiation au massage*
Naomi Ozaniec, *Initiation aux chakras*

À paraître

Naomi Ozaniec, *Initiation à la sagesse égyptienne*

PHILIP HESELTON

INITIATION AUX MYSTÈRES DE LA TERRE

Traduit de l'anglais
par Simone Mouton di Giovanni

Âge du Verseau

ÉDITIONS DU ROCHER
Jean-Paul Bertrand

Titre original : *Earth Mysteries,* Element Books Limited,
Longmead, Shaftesbury, Dorset.

© Philip Heselton, 1991

© Éditions du Rocher, 1995

ISBN 2 268 02034 7

SOMMAIRE

*À Caroline, Hilary et Jane,
en remerciement de leurs conseils
et encouragements.*

REMERCIEMENTS

Ce livre a été pour moi l'occasion de formuler mon approche personnelle des mystères de la Terre ; je n'en éprouve pas moins de reconnaissance envers tous les écrivains et chercheurs dont les travaux ont contribué à l'émergence de ce sujet tel qu'on le connaît aujourd'hui.

J'aimerais remercier tout particulièrement pour leur aide, leurs idées et leurs suggestions, ainsi que pour l'utilisation de leurs écrits ou illustrations, John Billingsley, Hilary Byers, Charla et Paul Devereux, Jane et Bob Dickinson, Jimmy Goddard, John Hall, Joan et Kenneth Heselton, Susan et Nigel Heselton, Louise Jennings, Brian Larkman, John Michell, Jonathan Mullard, Nigel Pennick, Philip Reeder, Philip Rushworth, Jeff et Deb Saward, Paul Screeton, Ian Taylor, Bob Trubshaw, Edna Whelan, Derrick Wilbie-Chalk, Rob Wilson et Caroline Wise.

Je remercie également Ivy Phillips de m'avoir permis d'utiliser les illustrations de Guy Ragland Phillips et Ian Taylor pour son autorisation de citer *The All Saints' Ley Hunt*.

NOTE PRÉLIMINAIRE

Plus que des unités administratives locales, les comtés anglais, gallois et écossais sont des entités culturelles vivantes. Lorsqu'ils sont mentionnés, c'est à ces comtés historiques auxquels s'attache une signification géomantique que je fais allusion, plus qu'aux secteurs administratifs définis en 1974 et 1975.

D'autre part, plutôt que de recourir au système métrique, je préfère employer ici les anciennes unités de mesure, en raison de leur relation numérique vivante avec les dimensions du corps humain.

INTRODUCTION

Quand j'y réfléchis, je m'aperçois que l'intérêt que je porte aux mystères de la Terre remonte à mon enfance.

À cette époque, j'aimais déjà marcher seul dans les bois du Kent, randonner à vélo dans les collines du Surrey ou, tout simplement, sortir seul la nuit pour contempler les étoiles.

Par chance, la bibliothèque locale était riche d'ouvrages sur l'astronomie, l'archéologie et la géologie. Mais c'était les sujets moins classiques comme les soucoupes volantes, les expériences parapsychiques, l'astrologie ou la sorcellerie qui enflammaient le plus mon imagination. Mes yeux s'ouvrirent sur de nouveaux domaines et ma reconnaissance est à jamais acquise à cette bibliothèque.

Mes lectures aboutirent indirectement à une rencontre avec Tony Wedd, en 1961. C'est lui qui, le premier, me parla de ces séries, à travers les campagnes, de points de repère reliés par des pistes en droite ligne, découvertes par Alfred Watkins quelque quarante ans plus tôt.

Wedd me communiqua son enthousiasme. Renforçant le côté non conformiste de ma nature, il m'encouragea à m'investir activement dans la découverte de ces laies.

Je m'engageai donc sur la « vieille piste rectiligne » de Watkins, en entraînant quelques autres avec moi, dont Jimmy Goddard. Il y progressa plus vite et plus loin que moi, attirant sur cette piste l'attention de ceux qui, comme John Michell, allaient par la suite s'en faire les champions. Rapidement, ils constatèrent qu'elle débouchait sur toute une variété de domaines qui se recoupaient : ils venaient de découvrir les « mystères de la Terre », comme on ne les appelait pas encore à l'époque.

Tout cela coïncida avec l'apparition des premières photographies de la planète Terre, pareille à un ballon coloré dans l'infini de l'espace — une image frappante qui suscita une prise de conscience : la vie sur la Terre est une et tout ce que nous faisons l'affecte dans son ensemble.

C'était aussi une époque de découverte de l'espace intérieur dont les dimensions cachées exigeaient d'être explorées. Il devenait impossible de les ignorer ou de les écarter comme parapsychiques, ésotériques ou occultes : elles étaient devenues des éléments essentiels dans la compréhension de la vie sur Terre.

La prise de conscience de notre place dans l'univers jointe à la reconnaissance de nos dimensions psychiques constituèrent un terreau favorable à l'apparition du mouvement Earth Mysteries. Il semble que cette expression ait été forgée par un journaliste en 1974. Elle passa rapidement dans le langage courant, comme si le moment était venu pour que, d'une conjugaison de thèmes, d'attitudes et de recherches, naisse une « multidiscipline nouvelle, sorte de moderne chaudron de Ceridwen », comme l'a remarqué Paul Devereux. À la faveur d'approches à la fois intuitives et analytiques, ce fut alors la rencontre de disciplines et de sujets naguère étrangers les uns aux autres.

Autour de l'intérêt pour les laies s'accumulèrent des intuitions et des concepts nouveaux. S'y ajoutèrent de vieilles notions soudain placées dans une perspective inédite. On commença à discuter librement des énergies telluriques ; des techniques comme celles des sourciers furent reconsidérées et revalorisées ; les légendes et le folklore furent examinés sous un éclairage différent ; enfin, on redécouvrit les sites anciens, portant un regard neuf sur leurs paysages familiers.

C'est ainsi que le mouvement Earth Mysteries fit son entrée dans le domaine en pleine expansion de la pensée et des conceptions « alternatives », remettant en cause des idées reçues tout en proposant sa propre approche positive.

Il était probablement inévitable que, par sa nature même, le mouvement Earth Mysteries soit appelé à devenir le point focal de ce qu'on pourrait appeler une « mythologie contemporaine ». De l'image de Watkins, « chevauchant le regard fixé sur de grands axes lumineux à travers les campagnes », à une acception trop facile des laies comme trajets d'une énergie aisément détectable avec une baguette de coudrier se constitue un mythe étrangement séduisant.

Mais pour que Earth Mysteries acquière sa place méritée de courant philosophique majeur du XXIe siècle, nous devons faire le bilan des progrès opérés dans l'étude de ces laies au cours des vingt dernières années. Objectivement, l'image qui s'en dégage est au moins aussi exaltante que celle que propose la mythologie populaire.

J'espère que ce livre contribuera à la compréhension du rôle de ce mouvement dans la dernière décennie de notre siècle, où l'étude des mystères de notre planète, recentrant constamment son objectif, gagne en maturité. La rapidité avec laquelle elle évolue n'a pas facilité ma tâche mais par ailleurs, elle l'a rendue d'autant plus nécessaire.

Ce livre a pour origine une petite brochure publiée il y a quelques années pour présenter brièvement Earth

Mysteries [72]*. La dimension du présent ouvrage m'autorise à le faire plus en détail, bien que son but reste celui d'une simple introduction à l'ensemble du sujet : j'espère cependant qu'elle retiendra aussi l'intérêt des lecteurs déjà plus avertis.

Dans les limites de ces pages, je me suis efforcé de mettre en évidence le fil conducteur reliant idées et principes au sein de la diversité parfois déconcertante des sujets englobés dans l'expression « mystères de la Terre » qui a donné son nom au mouvement.

Mon but était également de proposer un guide pratique qui encouragerait les lecteurs à explorer leur environnement et à y redécouvrir les vieux sites sacrés oubliés.

J'espère qu'il fait clairement apparaître un des principes fondateurs du mouvement Earth Mysteries — à savoir que notre planète, que les Grecs appelaient la déesse Gaia, est un être vivant dont nous sommes des éléments constitutifs. Intégrer ce fait nous permet d'établir une relation avec elle, où que nous nous trouvions. La nature des mystères de notre planète reste la même dans toutes les parties du globe et j'ai essayé d'illustrer cette vérité par des exemples issus du monde entier ; mais, naturellement, je me réfère plus volontiers aux lieux que je connais le mieux, c'est-à-dire à l'Angleterre et, plus particulièrement, à l'est du Yorkshire.

Ce livre contient des indices, des indications et des références que j'espère utiles. Notre plus grand maître n'en reste pas moins la Terre elle-même, pour peu que nous prenions la peine de l'écouter : j'ai tenté de montrer comment nous pouvons y parvenir.

Philip Heselton
Hull, Janvier 1991.

* Les appels de note renvoient aux références (p. 181 ff.).

1

L'instinct de la ligne droite

ALFRED WATKINS
ET LA DÉCOUVERTE DES LAIES

Alfred Watkins n'était vraiment pas le genre de personne qu'on imaginerait à l'origine d'un mouvement capable d'affecter radicalement notre façon d'appréhender les paysages. Il était le type même du bon pilier d'une société bourgeoise — minotier, magistrat, conseiller général de son canton.

Né à Hereford en 1855, il acquit une réputation de spécialiste par sa connaissance approfondie du Herefordshire et de la frontière du pays de Galles. Pionnier en matière de photographie, il inventa et commercialisa le premier posemètre industriel et ses photographies témoignent de ses affinités avec la campagne de sa région. Il fut aussi un membre éminent du Woolhope Naturalists Field Club, une respectable société se consacrant à des études archéologiques du Herefordshire.

Sa connaissance profonde et son amour sincère de sa région natale, son intelligence aiguë et son goût de l'étude se combinèrent, un jour de juin 1921, pour lui faire percevoir un paysage familier sous un jour nouveau. Son fils Allen relate ainsi la découverte de son père :

Lors d'une visite fortuite à Blackwardine, il consulta une carte pour y relever les sites intéressants, sans idée préconçue : il désirait simplement découvrir les environs. C'est alors qu'il remarqua que les points d'intérêt, qui s'avérèrent tous être des sites anciens, formaient une ligne droite traversant le sommet des collines. Et tout se mit soudain en place : une foule d'images s'imposèrent à son esprit et composèrent un ensemble cohérent. En un éclair, il réalisa que pendant des siècles de préhistoire, les pistes avaient été tracées en droite ligne et jalonnées de repères par des experts en visée. Tout le système du *old straight track* (vieille piste rectiligne) venait de se révéler à lui [121].

Watkins en déduisit que ces pistes rectilignes avaient été connues sous le vieux nom de *leys* (laies) et que leurs repères servaient de guides à ceux qui les empruntaient. Il décrivit ainsi ces voies :

... imaginez, aussi loin que l'œil puisse voir, une chaîne magique tendue d'un sommet à l'autre, reliant les « hauts lieux » de la terre en passant par un certain nombre de plates-formes, de creux et de bosses. Visualisez alors, sur les hauteurs, un tumulus, un tertre rond ou un bouquet d'arbres et, dans les creux, d'autres tumulus entourés d'eau pour qu'ils soient visibles à distance. Puis des menhirs jalonnant la route par intervalles ; sur les glacis montant vers une hauteur ou descendant vers un gué, la piste profondément entaillée dans la pente afin de constituer un cran de mire. Dans le flanc des gorges ou des cols, la piste taillée au point le plus élevé pour apparaître au loin comme le cran suivant. Ici et là et aux deux extrémités de la voie, des feux de balisage, des mares creusées le long de la route, ou des cours d'eau remblayés pour

Alfred Watkins (1855-1935).
Découverte du système des laies.
(Dessin de Nigel Pennick.)

constituer des points de réflexion dans l'axe de la laie,
vérifié au moins une fois par an quand les feux de
signalisation étaient rituellement ranimés — tous ces
ouvrages alignés exactement sur la même ligne de
mire. « Vous continuez tout droit » : cette réponse qui,
souvent de nos jours, ne correspond d'ailleurs plus à
la vérité mais qu'on fait encore aux voyageurs égarés,

semble être l'écho du temps des laies, profondément
inscrit dans la mémoire paysanne [117].

Se pourrait-il que ces pistes aient survécu jusqu'à
nous, ne serait-ce qu'à l'état de vestiges ? D'innombrables hectares sont enfouis sous la pierre et le
ciment ; dans les campagnes, les labours en profondeur, l'arrachage des haies et l'élargissement des
routes semblent avoir effacé la plupart des traces de
l'ancien paysage. Au fil des ans, les tracés des routes
et chemins se sont succédé et multipliés, à tel point
qu'il nous faudrait vraiment beaucoup de chance pour
qu'une partie au moins du réseau de laies soit encore
détectable.

Watkins en était parfaitement conscient et il est
significatif que sa première perception ait été celle
d'une série de repères plutôt que du fil continu d'une
voie proprement dite. La pérennité, à travers les générations, de sites isolés est plus facile à accepter : en
effet, si des jalons ont été mis en place, on peut concevoir qu'ils aient résisté au temps, même si leur forme
s'est modifiée avec lui.

Watkins se mit donc à repérer les alignements de
sites anciens et acquit rapidement un flair particulier
pour ceux qui apparaissent le plus fréquemment. Leur
nature lui inspira bientôt une idée de la façon dont les
laies avaient été établies. En fait, à partir de trois points
de repère, il est assez simple de tracer une ligne droite
à travers un paysage vallonné — une technique qui
était parfaitement à la portée des peuples du néolithique et de l'âge du bronze. Watkins pensait que ces
axes, établis entre deux points souvent surélevés, avec
des repères intermédiaires, avaient été empruntés par
les commerçants de ces temps lointains.

Découverte par Devereux et Thomson, la laie de
Saintbury est un bon exemple [29]. Elle couvre 3,5 miles

Comment les laies ont été tracées.
Extrait de la couverture du Ley Hunter Manual
d'Alfred Watkins (1927).

(5,6 km), des hauteurs des Cotswolds à la vallée
d'Eversham. Elle part d'un calvaire proche d'un croisement de routes, traverse d'abord l'église de Saintbury, où se sont maintenus des souvenirs de l'époque
païenne, puis un tumulus rond datant de l'âge du
bronze, un tumulus à couloir du néolithique situé au
centre d'une motte défensive de l'âge du fer, un cime-
tière saxon antérieur à la christianisation et une tour de
signalisation du XVIIIe siècle, pour aboutir au lieu-dit
Seven Wells (Sept-Puits), un très ancien domaine
agricole où Hugh Ross Williamson a situé son histoire

de sorcellerie intitulée *The Silver Bowl* (*Le Calice d'argent*).

Quel assortiment hétéroclite ! Certains ont parfois estimé que la diversité des types et des formes de marqueurs adoptés par Watkins suffirait à elle seule à discréditer sa théorie. Mais lorsqu'on comprend comment il concevait l'élaboration et le fonctionnement des laies, l'image d'un système dont chaque élément contribue à l'ensemble commence à émerger.

LES REPÈRES

Les extrémités des laies

Watkins pensait que des repères naturels avaient été utilisés pour établir le système des laies. S'imposaient en tout premier lieu les sommets des collines, dont il remarqua qu'ils constituaient toujours le marqueur de l'une au moins des extrémités d'une laie. La plus haute colline était fréquemment choisie ; mais on lui préférait encore un sommet au profil original ou se détachant particulièrement bien sur le paysage environnant.

Nombre de ces collines, où avaient été installés des feux de balisage, sont devenues des « collines sacrées ». Selon Watkins, ils occupaient les sites des premiers feux allumés comme points de repère pour créer l'alignement ; quant à Tony Wedd, il pensait que la qualité de guide souvent attribuée à la lumière dans les chants et les hymnes était un souvenir inconscient de ce procédé.

D'autres sites naturels tenaient lieu de terminaux, tels que des affleurements rocheux, des sources, des fontaines sacrées, et Watkins pensait que les cromlechs et les dolmens pourraient également avoir joué ce rôle.

Les arbres-signaux

La première signalisation mise en place pour guider les voyageurs fut sans doute les piquets d'arpenteur ayant servi à matérialiser les tracés. Selon la légende, Joseph d'Arimathie en aurait planté un à Wearyall Hill, qui aurait ensuite donné naissance au fameux Buisson d'épines de Glastonbury. Il est vrai qu'on trouve des buissons épineux le long des laies, la plantation étant effectivement une méthode de marquage relativement simple. Idéalement, les arbres-repères devaient être d'une espèce étrangère ou, au moins, rare dans la région, et d'une silhouette et d'une taille faciles à distinguer en toutes saisons.

Le pin sylvestre *(Pinus sylvestris),* que Watkins surnommait « l'arbre de la piste ancestrale », correspond à ces critères. Bien qu'il soit originaire de l'Écosse, son feuillage est persistant, d'un vert plus sombre que la plupart des autres arbres, et sa taille dépasse généralement celle de l'ensemble des frondaisons. Tony Wedd m'apprit à les repérer comme indices possibles de la présence d'une laie et à ce jour, la vue d'un pin isolé ou d'un bouquet se détachant sur un sommet m'emplit toujours d'émotion — un écho, peut-être, de ce que ressentait le voyageur des temps reculés, guidé et rassuré par cette confirmation qu'il était sur la bonne voie.

Watkins admettait que les arbres sont un point faible de son argumentation. En effet, si les laies remontent à la préhistoire, il est évident qu'aucun arbre ne peut en constituer un vestige originel. Il ne peut en être qu'un descendant, à des générations de distance.

Ce n'est pas impossible. Sur les hauteurs où se trouvent généralement les bouquets d'arbres, les conditions pourraient être particulièrement favorables à la reproduction, assurant ainsi la pérennité de l'emplacement et de la forme de ces marqueurs naturels.

La notion d'entretien peut fournir une autre explication : de même qu'un jardin doit être entretenu, les bouquets d'arbres ont dû exiger une participation active de la population locale pour conserver leurs caractéristiques de repères. Il se peut qu'un « gardien » local ait été assigné à la préservation du site signalisateur, avec mission de désherber, de planter et de tailler pour maintenir la forme spécifique du bouquet d'arbres. Il semble d'ailleurs qu'à l'époque de Watkins, un tel réseau de gardiens ait encore existé. Moi-même, j'en ai entendu parler ; mais la tradition de ces vieux métiers disparaît dans la mesure où nous sommes de plus en plus étrangers à la nature qui nous entoure.

Il est certain que nombre de bouquets d'arbres sont voués à disparaître. L'impressionnant Bouquet de Cole (Cole's Tump), dont Watkins a photographié la silhouette se détachant sur un paysage montagneux du pays de Galles, ne survivra peut-être pas à notre siècle. Ce qui est extrêmement regrettable ; même s'il y a peu de chances que ces bouquets d'arbres soient des survivants de temps préhistoriques, nous devrions nous faire un devoir d'assurer leur préservation.

Les cairns

À plus haute altitude, les piles de pierres sèches constituaient une signalisation facile et très repérable. Ces cairns atteignaient parfois des proportions impressionnantes, rendant ceux qui étaient construits sur des hauteurs visibles de très loin.

Il est possible que, petit à petit, les utilisateurs des laies aient contribué à en rendre la signalisation plus ostensible. En effet, ajouter sa pierre à un tas existant semble être une habitude très enracinée :

26

de nos jours encore, nombreux sont ceux qui escaladent une pente avec une pierre au fond de leur poche dans le seul but de l'ajouter au cairn situé à son sommet.

Les bornes de pierre

Watkins trouva aussi des pierres beaucoup plus grosses le long des laies, en particulier dans les vallées. Chose typique, ces pierres n'étaient pas gravées et, sans aucun doute, elles avaient été choisies pour leur forme particulière. Blocs erratiques entraînés dans l'est du Yorkshire lors de la dernière période glaciaire, elles y étaient restées lors du retrait des glaces. Usées, arrondies par l'érosion, certaines avaient cependant une surface plane, souvent disposée de façon à ce que leur angle le plus aigu pointe dans le sens de la laie. Bien que très lourdes, il est possible qu'elles aient été placées et tournées, grâce à un effort collectif, de manière à indiquer le chemin à suivre.

Les pierres sont fréquentes le long des routes, des berges, sous les haies. La végétation les dissimulant souvent en été, elles sont plus faciles à détecter en hiver. Watkins en découvrit à intervalles réguliers le long et, souvent, aux croisements des laies.

On en trouve encore à certaines jonctions et carrefours, où elles ne doivent pas être confondues avec les pierres installées aux coins des bâtiments pour en tenir les véhicules à distance ; ce qui, en principe, n'est pas très difficile, bien qu'en raison de leur emplacement, certaines pierres remplissent effectivement cette double fonction.

Il est possible que jadis, certaines pierres aient tenu lieu de point de rendez-vous pour les échanges et qu'elles soient à l'origine des marchés autour desquels les villes se développèrent. On peut en voir une face à l'église, en plein centre de Market Weighton, dans l'est du Yorkshire, et à Pembridge (Herefordshire), Watkins en découvrit une jouxtant les halles.

Les bornes de pierre sont particulièrement vulnérables. Dans leurs travaux d'élargissement des croisements, les ingénieurs civils sont souvent amenés à les broyer ou les évacuer sans cérémonie. Dans le meilleur des cas, elles sont remplacées par la bordure du trottoir, mais leur qualité particulière et leur emplacement sont alors perdus à jamais.

De plus, les responsables des mesures de protection des sites ne leur attribuent généralement aucune signification, en particulier si elles sont soupçonnées d'avoir un rapport avec les laies ou avec toute autre idée de « marginaux farfelus ». Heureusement, les choses évoluent petit à petit. Une nouvelle race d'archéologues émerge, à l'esprit plus ouvert, plus prêt à chercher le sens des détails d'un paysage en train de disparaître. Quant aux résidents locaux, ils peuvent être de précieux alliés dans la préservation des éléments oubliés de leur patrimoine : il suffit d'éveiller leur intérêt.

Les tumulus

Avec le temps, des structures plus élaborées apparurent le long des trajectoires : tumulus en terre et en pierres, chambres funéraires, dolmens ou cromlechs. Les hauteurs naturelles furent soulignées par des tumulus souvent désaxés par rapport aux sommets, ce qui les rendait visibles du fond des vallées. C'est ainsi que dans la forêt de Radnor, Watkins découvrit beaucoup de tumulus présentant les mêmes caractéristiques : leurs dimensions permettaient simplement qu'ils soient repérables du jalon suivant, mais ils étaient toujours situés au-dessus de la hauteur maximale des forêts environnantes.

L'eau

Dans les basses terres, l'eau avait tendance à emplir les fossés entourant souvent les tumulus. Watkins y voyait l'origine des douves circulaires, fréquentes dans sa région.

L'eau était un élément clef du système des laies. Selon Watkins, elle jouait un double rôle : dans l'élaboration du tracé et dans l'orientation des utilisateurs de ces voies. Son intérêt résidait dans ses qualités réflectives. Quand une mare et un feu de balisage étaient placés sur le même axe, la réflexion du fanal n'était visible que lorsque le voyageur se trouvait aussi sur cet axe ; et de façon générale, l'eau est visible à distance parce qu'elle reflète la lumière du ciel.

Les plans d'eau sont les repères les plus évidents et, particulièrement sur les plateaux calcaires et les landes, on trouve un grand nombre de mares artificielles, créées à partir de matériaux aptes à retenir l'eau même en période de sécheresse prolongée.

La mare reste le centre de certains villages en légère altitude ; plus récente, l'église y est reléguée à la périphérie. Le village d'Ashmore, dans le Cranborne Chase, est un exemple classique, mais il en existe beaucoup d'autres dans les landes du Yorkshire. La trajectoire des laies traverse souvent la mare et l'église du village, un point toujours intéressant à vérifier dans les agglomérations où la mare semble très ancienne.

L'emplacement des gués et des ponts n'a guère varié au fil des siècles et Watkins cite des exemples de laies qui traversent les rivières aux passages à gué.

Les tertres

La forme des tertres sur les hauteurs, improprement appelés « camps » ou « fortins », a souvent été déterminée par le tracé des laies, les parties droites de leurs remblais étant alignées sur des repères plus ou moins éloignés. Selon Watkins, c'est le cas des tertres des environs de Hereford tels que Dinedor et Capler.

Les pistes et les routes

Ne subsistent aujourd'hui que des vestiges du système des laies ; mais plus souvent qu'on ne l'imagine, on découvre des portions de routes et de sentiers qui coïncident avec d'anciens tracés.

Nos routes actuelles ne recouvrent pas les laies ; mais Watkins a trouvé sur leur trajet un nombre surprenant de carrefours dont l'emplacement n'a pas varié. Ils occupent une place particulière dans la tradition : les sorciers étaient censés s'y rencontrer. Naturellement, après la christianisation, les personnes accusées de sorcellerie ou s'étant suicidées ne pouvaient être enterrées dans les cimetières. Les carrefours constituèrent alors souvent une solution de rechange, peut-être parce que dans une certaine mesure, les laies avaient été sacralisées au fil des siècles par leur association avec d'autres sites sacrés.

On peut encore découvrir des indices d'anciennes voies. Watkins avait particulièrement remarqué l'entaille à flanc de colline là où une laie franchit une hauteur. Ces entailles étaient de précieux repères parce qu'à distance, elles ne devenaient visibles que dans l'axe de mire de la laie.

Les églises

Watkins a inclus les églises dans ses repères et cette assimilation est très controversée : en Grande-Bretagne, les plus anciennes églises datent de la période saxonne alors que les laies remontent vraisemblablement à la préhistoire.

Mais nombre d'églises ont été bâties sur des sites païens, comme celles de Cascob dans le Radnorshire ou de Fimber dans l'est du Yorkshire, effectivement construites sur des tumulus. Dans la même région, on peut également citer Goodmanham, sur le site d'un temple païen, et Rudston, où l'église est adjacente au plus haut menhir de Grande-Bretagne. Ce principe fut clairement exprimé, à l'adresse de l'évêque Mellitus, par le pape Grégoire en l'an 601 :

> Je suis arrivé à la conclusion qu'en Angleterre, les temples des idoles ne doivent à aucun prix être démolis. Augustin doit renverser les idoles, mais les bâtiments eux-mêmes devraient être aspergés d'eau bénite et des autels contenant des reliques devraient y être installés... J'espère que, voyant que ses temples ne sont pas détruits, le peuple renoncera à son idolâtrie mais continuera à fréquenter les mêmes lieux et en viendra ainsi à connaître et adorer le vrai Dieu.

Ainsi, l'Église investit les sites — parfois, les bâtiments eux-mêmes — où étaient adorées les divinités païennes. La christianisation s'opéra lentement : attaché à ses croyances, le peuple ne vit guère d'inconvénient à leur en adjoindre de nouvelles. L'étude des survivances païennes dans les églises anglaises est fascinante et des écrivains tels que Guy Raglan Phillips ont montré qu'elles sont encore très empreintes de symbolisme païen [98].

Le même principe d'assimilation est souvent à l'origine des cimetières et des calvaires qui jalonnent les routes. En particulier dans le Devon et en Cornouailles, les menhirs ont été christianisés par le moyen d'une croix gravée, et des bornes de pierre ont souvent été employées pour servir de socle aux croix des calvaires.

Le maintien des sites

Les premières laies furent établies en des temps préhistoriques ; mais il est probable que leur utilisation et même leur construction se soient prolongées jusqu'à la période médiévale, constituant peut-être l'apanage secret de certains ordres ésotériques.

Des indices donnent à penser, en particulier dans des villes anciennes comme Londres, Bristol ou Cambridge, que les églises furent bâties sur le tracé des laies. À York, Brian Larkman a découvert ce qu'il appelle le « Corridor sacré », qui part du confluent des rivières Ouse et Foss, traverse le site d'une chapelle des Templiers, la grosse tour de Clifford et cinq autres églises médiévales, y compris la cathédrale[70].

Sans aucun doute, les sites-repères ont survécu tandis que les vieux sentiers rectilignes tombaient dans l'oubli et l'abandon. En des points donnés, des structures nouvelles en ont souvent remplacé de plus anciennes : Watkins a noté de nombreux exemples de mottes féodales fortifiées implantées, comme les églises, sur des sites plus anciens.

Avec une fréquence surprenante, les laies passent au milieu de grands domaines agricoles isolés, leur orientation coïncidant avec celle des bâtiments principaux. Du village de Sproatley dans le Yorkshire, une laie part vers l'est et se prolonge jusqu'à la côte : elle traverse quatre églises, un menhir et une douve, et une route emprunte son tracé sur une bonne partie de sa longueur.

Dans le village d'Humbleton, non seulement la laie traverse l'église et les deux principales fermes de la commune, mais elle passe aussi par un manoir et un château, qui comportent tous deux des bâtiments dans l'alignement de la laie.

Les noms de lieux

Les noms de lieux peuvent fournir des indices quand les repères physiques ont disparu. Tony Wedd cite l'exemple, dans le Kent, de One Tree Hill, la « Colline avec un seul arbre », située sur une laie qui traverse les pentes de Greensand. Aujourd'hui, tout le sommet de la colline est boisé, mais son nom faisant état d'un arbre unique persiste, témoignant de son rôle probable de repère dans le passé[123].

Les noms de lieux évoluent au fil des ans, parfois radicalement. Watkins recommandait de ne pas accepter à la légère leur sens le plus apparent. À commencer par celui du mot *leys,* désignant en anglais les voies préhistoriques rectilignes. Bien qu'on s'accorde généralement à penser qu'elles aient effectivement été ainsi désignées, Watkins ne refusait pas l'interprétation orthodoxe selon laquelle le terme *ley* aurait signifié « pâture » ou « champ ». Il pensait néanmoins qu'il avait évolué, de son sens originel de piste rectiligne traversant des clairières, jusqu'au sens plus courant qu'on lui prête aujourd'hui, s'appuyant sur les exemples de Ley Rock, près de Tintagel, et Bonsall Leys, dans les hautes landes du Derbyshire, pour prouver que le terme *ley* n'est pas toujours associé à des prairies.

Il propose également divers sens pour le mot *leye,* tombé en désuétude : en premier lieu celui d'île, en second lieu, celui de flamme, flamboiement ou feu, tous éléments étant intervenus dans la mise en place des vieilles pistes rectilignes. Il voyait dans le terme *laia,* signifiant un sentier à travers bois, ainsi que dans les mots français *layon* et *laie,* désignant tous deux des sentiers rectilignes, une confirmation de ces origines[95].

Vers la fin de sa vie, Watkins renonça à employer le mot *ley* (laie), et il est certain qu'il faut user de prudence avant de déduire de sa présence dans un nom de lieu l'indice d'une ancienne voie.

Dans ses recherches, il releva dans les noms de lieux pour les répertorier une série d'éléments qui lui semblaient devoir témoigner de l'existence passée d'une laie, tous ces termes faisant référence à la « construction » ou à l'utilisation d'une laie.

À LA RECHERCHE DES LAIES : COMMENT LES DÉCOUVRIR ?

Comment procéder ? Nous ne disposons certes pas tous des mêmes atouts que Watkins : la connaissance intime et de longue date de sa région natale ; un travail qui l'amenait à l'arpenter quotidiennement ; et un œil exercé de photographe habile à discerner le détail, l'inhabituel et à le situer dans un ensemble.

Nous devons faire avec ce que nous sommes devenus, même quand nous vivons en dehors des villes — des citadins en rupture avec la nature. Il nous faut donc recréer un lien avec elle en faisant appel aux cartes topographiques, aux archives, au terrain, sans négliger l'apport de l'intuition.

Les cartes topographiques sont indispensables. Très détaillées, elles comportent beaucoup d'informations. L'échelle 1/25 000 (4 cm pour 1 km) permet de détecter la présence possible d'une laie. Les cartes courantes, à l'échelle 1/10 000 (1 cm pour 1 km), couvrent une plus grande surface, mais elles sont moins détaillées. De nombreux éléments en sont absents, d'autant plus que l'agriculture moderne a contribué à la disparition de certains d'entre eux. Il est donc indispensable d'exploiter les ressources des bibliothèques, des archives et du cadastre*. Sur les documents les plus anciens, pensez à repérer les points d'intérêt : églises, chapelles ou oratoires, mottes féodales, tumulus, monuments mégalithiques (menhirs, dolmens, cromlechs, alignements), calvaires, tours isolées, etc.

Étudiez les cartes à loisir, crayon et longue règle transparente en mains. Faites confiance à votre intuition. Quand un certain nombre de repères laissent espérer une trajectoire prometteuse, voyez si elle est recouverte ici et là par des portions d'anciennes routes ou voies, si elle traverse des carrefours, des fourches, des gués. Réfléchissez aux éléments fournis par la toponymie. Vraisemblablement, vous sentirez quand vous serez « sur la bonne voie ».

Ce n'est là qu'un début. Certains indices ne figurant pas sur les cartes, le moment sera venu de vous lancer sur le terrain : on dit qu'une laie n'existe vraiment que lorsqu'on en a parcouru à pied la quasi-totalité.

Ce n'est pas toujours possible, puisque nous sommes tributaires des voies publiques et, pour l'accès à certains trajets, de l'autorisation de propriétaires privés. Ceux qui envisagent d'autres moyens que la marche à pied peuvent suivre la trajectoire présumée de la laie d'aussi près que les routes le permettent, en s'arrêtant pour observer et explorer tous les points où elle rejoint ou croise l'actuel réseau de voies.

---

* NDT : en France, les particuliers peuvent consulter les archives locales et le cadastre dans les mairies. Les plans et documents anciens d'un département sont généralement regroupés au cadastre ou aux archives des préfectures ou sous-préfectures.

Les points d'altitude maximale et minimale devraient être notés et faire l'objet d'une recherche de repères particulière. Sur une feuille de papier séparée, représentez votre parcours en coupe ; reportez-y tous les points de repère, établissant ainsi progressivement un profil de la laie. Vous pourrez alors juger de la visibilité d'un point par rapport à un autre et déterminer les points de visée probables. Tony Wedd cite l'exemple d'une ligne de quatre bouquets de pins sylvestres entre Lyewood Common et Kent Hatch dans le Kent. Parfaitement alignés, ils étaient tous placés en un point dominant de la ligne de mire, qui garantissait leur visibilité maximale[61].

Sur le terrain, vous devez absolument être à l'affût de tout ce qui pourrait corroborer l'existence de la laie : bornes de pierre enterrées au pied des haies ou sur les bermes, bouquets d'arbres ostensiblement placés pour être repérables à distance, ouvrages en terre susceptibles d'indiquer une ancienne voie maintenant recouverte — en fait, tout ce qui peut sembler inhabituel sur la ligne en question. On est étonné de constater, par exemple, à quel point les barrières des champs sont souvent situées exactement sur la trajectoire d'une laie.

La population locale peut vous venir en aide, comme à Allen Watkins lorsqu'il découvrit sa première laie : un laboureur lui parla spontanément d'une tradition locale faisant allusion à un ancien chemin, précisément où il avait soupçonné la présence d'une laie.

Vous en viendrez rapidement à « sentir » une laie et à « savoir » quand vous l'avez trouvée : il est sans doute question d'intuition, mais aussi de « voir juste ». Watkins affirmait que les bons photographes sont « poussés » sur la bonne voie.

L'hiver est la saison la plus favorable à la recherche des laies. Non seulement l'absence de végétation expose davantage les bornes-repères, mais les tertres sont plus faciles à détecter dans la lumière rasante du soleil hivernal.

De nombreux indices se cachent dans les archives locales, dans les bibliothèques et les musées. Les archéologues des siècles précédents ont souvent noté des éléments qui passeraient aujourd'hui inaperçus ; les journaux des sociétés locales d'histoire ou d'archéologie mentionnent des pierres ou des menhirs, des puits ou des fontaines sacrés qui ont disparu ou été oubliés depuis. Il peut exister des éléments de folklore ou des légendes liés à certains sites, qui devraient d'ailleurs impérativement être enregistrés s'ils ne le sont pas déjà. L'inventaire du patrimoine peut fournir des détails sur de nombreux sites archéologiques et les photographies aériennes sont souvent une source précieuse d'informations.

Après avoir effectué vos recherches sur les cartes, le terrain et dans les archives, vous pouvez envisager de rédiger une communication. Les publications spécialisées du type du *Ley Hunter* (en Grande-Bretagne) accueillent favorablement ce genre d'articles. Une liste des magazines qui peuvent s'y intéresser figure en fin d'ouvrage au chapitre des « Adresses utiles ».

Petit à petit, vous allez acquérir un fonds de savoir sur les laies de votre région et vous pourrez peut-être en organiser des visites et fonder un groupe local Earth Mysteries ; car il est certain que la recherche des laies ne peut qu'ajouter un intérêt supplémentaire à la découverte d'une région.

2

Une vivante tradition

LES VOIES RECTILIGNES
À TRAVERS LE MONDE

Ce que j'ai appelé « l'instinct de la ligne droite »
semble s'être manifesté en maintes parties du monde.
Selon Paul Devereux, il s'agit d'un instinct élémen-
taire, qui correspond à quelque chose de profondément
inscrit dans la psyché.

Ce n'était pas l'opinion des archéologues qui cri-
tiquèrent les idées de Watkins après la publication de
The Old Straight Track (La Vieille Piste rectiligne) en
1925. O.G.S. Crawford refusa même de faire paraître
une publicité payante pour le livre de Watkins dans
son journal *Antiquity* parce que, selon lui, les peuples
préhistoriques ne pouvaient marcher en droite ligne,
puisque toutes les routes avérées de cette époque
étaient sinueuses.

Depuis, nous avons appris que des pistes absolument rectilignes qui, dans certains cas, sont encore
utilisées, ont été créées dans le monde entier.

Watkins connaissait l'existence de la piste Chin en
Inde, qui emprunte le chemin le plus direct entre les villages, quelles que soient les dénivellations. Il connaissait aussi les pistes en ligne droite des chameliers

palestiniens, alignées sur des bouquets d'arbres et des entailles dans le flanc des collines dont elles traversent les sommets, ainsi que les cairns égyptiens, repères visibles à l'horizon pour les caravaniers. Watkins citait *Uganda* de Johnston :

> Les larges routes des indigènes allant, comme les voies romaines, aussi droit que possible vers leur but, semblaient avoir une prédilection pour les collines les plus hautes et les plus abruptes, qu'elles escaladaient à la perpendiculaire sans le moindre compromis [117].

C'est cependant sur le continent américain qu'on en trouve le plus d'illustrations. Watkins parle des pistes toujours rectilignes des Indiens Cree, et de récentes découvertes dans le Chaco Canyon, au Nouveau Mexique, confirment l'existence de longues pistes en droite ligne établies par les populations de la culture Anasazi [95].

Sans être des pistes à proprement parler, les mystérieux tracés de Nazca, au Pérou, présentent des similitudes frappantes. On les remarqua d'abord en 1926, mais seule la photographie aérienne en confirma l'existence vers la fin des années 30. À la surface du désert, entre la cordillière des Andes et le Pacifique, se détachent des lignes droites, des figures géométriques, des trapèzes et des silhouettes animales réalisés par un grattage de la couche supérieure foncée du sol, faisant apparaître la couche inférieure plus claire. Ces réalisations, restées intactes pendant des centaines d'années en raison des faibles chutes de pluie de la région, sont aujourd'hui menacées par le tourisme.

Plus haut dans les montagnes se trouve le système des *ceques,* centré sur Cuzco, la capitale du vieil empire des Incas. À partir du temple du Soleil où régnait l'inca rayonnent les *ceques,* alignements de *huacas,* des sites sacrés qui peuvent être des pierres, des sources, des ponts, des gorges. Certains ont été christianisés, d'autres détruits ; dans certains cas, leur utilisation a évolué. Il en subsiste cependant un nombre suffisant pour que, sur des cartes, le biologiste Tom Morrison ait pu repérer plusieurs *ceques* et en réaliser par infrarouge des photographies sur lesquelles ils dessinent d'étroits tracés dans la végétation.

Morrison trouva également des manifestations de cet instinct de la ligne droite en Bolivie. Des pistes rectilignes, parfois longues de 80 kilomètres et souvent alignées sur des sommets montagneux, sont encore utilisées par les populations locales. Elles étaient marquées par des pierres, particulièrement aux intersections, et on trouve souvent des églises sur leur trajet. Les sites qui les jalonnent sont encore des lieux de sacrifices et d'offrandes et des festivals continuent à y être célébrés. Les photographies aériennes de Morrison révèlent des voies étroites coupant en droite ligne pendant des kilomètres à travers un paysage accidenté [67].

QUESTION DE PREUVES

Ces éléments permettent d'envisager les laies sous l'angle de la statistique : étant donné, sur une carte, un certain nombre de repères dont plusieurs sont alignés, quelle est la probabilité que ces alignements résultent d'un pur hasard ?

Les difficultés se multiplient dès qu'on veut cerner la question de plus près. La nature du problème réside dans la définition même des laies. Quels marqueurs accepter et comment les définir avec précision ? Disposons-nous, sur une seule carte, d'assez d'informations pour être en mesure d'y repérer tous les marqueurs de laies possibles, y compris ceux qui ne figurent pas sur la carte ? Quel degré de précision dans les alignements justifie qu'on accepte leurs trajectoires comme des laies ? Aucune de ces questions n'a reçu de réponse satisfaisante.

Watkins fut lui-même le premier à tenter une approche statistique. Étudiant une carte de la région d'Andover à l'échelle d'un pouce pour un mile (soit environ 1 cm pour 643 m), il remarqua que cinquante et une églises y figuraient. Reliant leurs sites, il découvrit huit alignements de quatre églises et un de cinq églises. Pour avoir un moyen de comparaison, il fit, au hasard et à plusieurs reprises, cinquante et une croix sur des feuilles de papier de mêmes dimensions que la carte. Aucun alignement de cinq croix n'apparut en aucun cas, et jamais plus d'un seul de quatre croix et un de trois croix. Il en conclut que les alignements de quatre églises témoignaient puissamment en faveur d'un dessein plutôt que d'une distribution aléatoire des sites[117].

En réalité, sa tentative était déjà celle des statisticiens actuels : comparer les alignements réels avec ceux qui peuvent apparaître à la faveur de méthodes aléatoires. La difficulté résidait dans l'obtention de données de qualité suffisamment haute pour un secteur bien défini. En 1974, John Mitchell publia une étude approfondie des alignements de West Penwith, en Cornouailles[82], étayée par d'importants travaux sur le terrain. Riche en sites mégalithiques, cette région est bordée par la mer sur trois de ses côtés.

Les travaux de Mitchell fournirent aux chercheurs les éléments dont ils avaient besoin. Rédacteurs à *Undercurrents (Courants sous-jacents),* un magazine consacré aux technologies marginales, Pat Gadsby et Chris Hutton-Square relevèrent le défi.

Pour la première fois, une analyse des données fut réalisée par ordinateur. Les positions des cinquante-trois sites relevées par Mitchell furent rapportées et les alignements entre ces points mis en évidence par l'ordinateur. Des tables de nombres aléatoires furent ensuite utilisées pour générer un ensemble de cinquante-trois repères fictifs. Chacun d'eux fut logé dans son secteur au hasard, mais en respectant la répartition des sites réels sans en reproduire les alignements. Les analyses furent alors répétées avec ces données imaginaires.

Les résultats de l'analyse des repères réels révélèrent un alignement de cinq implantations — une probabilité d'une chance sur 250. Apparurent également cinq alignements de quatre implantations là où statistiquement, moins d'un seul s'avère probable. La probabilité de découvrir cinquante et un alignements de trois repères était de 160 contre 1. Cette étude fut critiquée pour l'insuffisance de ses données ; elle constituait néanmoins une avancée et les résultats obtenus furent tellement positifs qu'ils suscitèrent des études plus approfondies[45].

Robert Forrest et Michael Berend occupent actuellement les avant-postes de cette recherche des laies par la statistique[40]. Au fil des années, ils ont progressivement affiné leurs techniques en intégrant constamment à leurs équations des facteurs supplémentaires tels que la longueur des laies. Ils ont analysé des axes reconnus, comme l'alignement de pierres levées de Devil's Arrows (les Flèches du diable) dans le Yorkshire et celui de Thornborough Henges : les résultats ont corroboré ceux des tests précédents. Mais leurs modèles statistiques ne sont pas encore parfaitement aptes à gérer tous les paramètres de la répartition réelle des sites dans le paysage.

LES IDÉES ÉMERGENT

Une chose est certaine : les découvertes de Watkins frappèrent l'imagination du public. Comment et pourquoi ce phénomène se produit est parfois difficile à comprendre. Le moment joue un rôle certain ; et cet après-midi d'été de 1921 fut le moment où « l'instinct de la ligne droite » pénétra la conscience du public. Pour Alfred Watkins, il ne s'agissait pas d'une illumination soudaine venue de l'au-delà, mais d'une consolidation d'éléments qui avaient mûri au plus profond de lui au fil de longues années de contact intime avec sa terre natale.

Certes, il n'était pas le premier à avoir été frappé par cette idée : dans son premier ouvrage sur les laies, il cite G.H. Piper qui, en 1882, signalait l'alignement de plusieurs sites dans le Herefordshire [116].

En 1870, la British Archeological Association avait tenu son congrès annuel à Hereford, ville natale de Watkins, alors âgé de quinze ans. L'un des intervenants était William Henry Black, historiographe au service des archives nationales à Londres. Depuis 1820, il travaillait à sa théorie selon laquelle de « grandes lignes géométriques » avaient été établies à travers le pays en des temps reculés et marquées par de très anciennes bornes et limites [7]. Watkins eut sans doute vent de ces idées, qui sommeillèrent en lui pendant plus de cinquante ans.

Les recherches effectuées dans les archives par Nigel Pennick et quelques autres ont fait apparaître de nombreux exemples, de l'époque victorienne à nos jours, de travaux sur l'alignement de sites ancestraux. Ceux du révérend Edward Duke, dans les années 1840, sont parmi les premiers : il avait constaté que plusieurs sites préhistoriques, y compris Avebury, Silbury Hill et Stonehenge sont alignés l'un par rapport à l'autre sur un axe nord-sud. Il était allé plus loin en établissant un rapport entre les distances séparant ces trois sites et les distances connues entre les planètes du système solaire[35].

Dès la fin du XIXe siècle, les travaux sur les alignements se multipliaient, mais ils étaient surtout le fait d'individus isolés. C.W. Dymond relevait les alignements du cromlech de Stanton Drew dans le Somerset. En 1889, Joseph Houghton Spencer repérait des trajectoires passant par des églises, des tumulus, des feux de balisage, des portions de voies qu'il considérait comme des vestiges d'un ancien système de signalisation. Dans le Kent, Francis J. Bennett étudiait un système d'axes parallèles nord-sud sur lesquels étaient implantés des églises et des sites mégalithiques[93].

En 1901, à la suite d'études approfondies sur l'orientation des temples égyptiens, le célèbre astronome Norman Lockyer s'intéressa à Stonehenge. Il prolongea l'axe du lever du soleil au solstice d'été dans les deux directions, le faisant passer par le sommet de Silbury Hill au nord-est et par les tertres de Grosvely Castle et les fossés de Castle Ditches dans la direction opposée. Il découvrit aussi un axe, également découvert indépendamment par Watkins, qui relie Stonehenge, Old Sarum (ancien site de Salisbury), la cathédrale de Salisbury et le cercle des tertres de Clearbury Ring[74].

Ces notions furent reprises en Allemagne par des chercheurs comme Albrecht et Leugering, ce dernier devant, dans les années 20, relever des alignements dans sa Westphalie natale. Il reçut l'aide de Joseph Heinsch, qui en découvrit d'autres et tout particulièrement un axe qu'il appela « ligne de l'année solaire », reliant une « colline sacrée » à l'ouest dédiée à la lune, à un site solaire à l'est.

Dans les années 20 et 30, l'Allemagne était un terrain favorable à ce type d'idées : tout travail démontrant l'ancienneté de la civilisation germanique était acueilli avec empressement et recevait la consécration officielle. Wilhelm Teudt (1860-1942) bénéficia amplement de cette conjoncture. Indépendamment d'Albrecht et de Heinsch, il découvrit un réseau de « lignes sacrées » orientées en fonction de phénomènes astronomiques. Sur ces lignes se trouvaient des feux de balisage et des « tours de guet » et il constata que de tous les tertres et tumulus, on pouvait apercevoir un marqueur d'orientation sous la forme d'une tour de guet sur un axe nord-sud ou est-ouest[84].

Tous les éléments qui devaient figurer dans la thèse de Watkins sur les laies et dans celles de quelques autres étaient déjà présents dans ces premières recherches ou dans celles, antérieures, de ses contemporains : vestiges d'antiques pistes rectilignes, églises bâties sur des sites païens, balisage, lignes méridionales et orientation astronomique. Ce n'est qu'aujourd'hui que ces travaux sont redécouverts, réexaminés et intégrés dans l'ensemble du courant de recherches initié par Watkins.

LE CERCLE DE LA PISTE RECTILIGNE

C'est grâce à Watkins que l'intérêt et les idées relatives à « l'instinct de la ligne droite » se développèrent. À la suite de sa vision initiale, Watkins travailla rapidement et dans un enthousiasme soutenu par les expériences accumulées au fil de plus de cinquante ans. Il disait lui-même :

> ... la moitié de l'année s'était écoulée, les horizons dégagés du début de l'été et ses longues journées n'étaient plus que des souvenirs avant que m'apparaisse le premier indice. Mais une fois lancé, je ne

connus pas de temps morts dans la découverte de nouveaux éléments, constamment révélés par les recherches effectuées activement sur les pistes[116].

En septembre 1921, il fit au Woolhope Club une conférence qu'il illustra avec la projection de ses propres diapositives. On l'encouragea à en rédiger le matériau et l'année suivante, une transcription de sa conférence accompagnée d'une sélection de photographies fut publiée[116].

Pendant ce temps, Watkins continuait ses recherches avec un enthousiasme accru et, trois ans plus tard, en 1925, il publia son ouvrage principal, *The Old Straight Track (La Vieille Piste rectiligne)*[117]. Ses lecteurs commencèrent à lui signaler des laies dans leurs propres régions et leur intérêt aboutit à la création, en 1926, du Straight Track Club — le Cercle de la piste rectiligne. Les membres communiquaient par le moyen de dossiers circulant par la poste et que chaque membre pouvait, au passage, enrichir de sa contribution. Le Cercle organisait des réunions sur le terrain, ses membres parcourant des laies, visitant des sites ancestraux sous la houlette de celui qui connaissait particulièrement le secteur visité. Issus d'horizons sociaux très divers, certains d'entre eux étaient aussi bien informés sur leur région que Watkins sur la sienne.

Les dossiers sont aujourd'hui déposés à la bibliothèque centrale de Hereford. Ils comprennent plusieurs volumes de cartes, des photographies, des relations sur les laies, théories et confirmations émanant de sources variées, le tout témoignant de la vitalité des échanges d'idées et du développement et de l'évolution des travaux de Watkins.

Major F.C. Tyler, membre éminent du Cercle, joua un rôle de premier plan dans cette évolution. Il était de plus en plus insatisfait de la théorie des laies, considérant qu'elle ne suffisait pas à justifier le nombre de laies qui semblent avoir existé, les systèmes de parallèles, l'intersection de nombreuses trajectoires sur un même site et le phénomène des cercles concentriques qu'il avait découvert lui-même. Pour Tyler, la seule explication était qu'en fait, les sites étaient tous des points d'un vaste canevas, qu'ils avaient un caractère sacré, d'où la signalisation dont ils faisaient l'objet dans les temps reculés. Son livre, *The Geometrical Arrangement of Ancient Sites (La Disposition géométrique des sites anciens)* fut publié en 1939[114].

Dans les années 30, Donald Maxwell publia une série de guides[80] qui firent connaître les laies à un plus large public, au point que leur recherche devint, si l'on en croit le journal *The Birmingham Post,* « un nouveau sport de plein air ».

Le Cercle de la piste rectiligne disparut en 1948, mais ses idées furent préservées par l'Avalon Society d'Egerton Sykes. Ce dernier publia un article de l'ex-officier du génie Kenneth Koop, qui soutient la théorie des alignements comme vestiges d'un premier cadastrage de la Grande-Bretagne[67].

LE RENOUVEAU CONTEMPORAIN

L'actuel intérêt pour les laies remonte en fait à 1961, quand Tony Wedd, un ex-pilote de l'armée de l'air britannique, publia un petit fascicule intitulé *Skyways and Landmarks (Routes célestes et sites terrestres),* dans lequel il évoque un lien possible entre les ovnis et les marques de signalisation au sol[123].

Je l'ai rencontré un jour de printemps, il y a trente ans, dans la superbe campagne du Kent où il résidait. C'était un libre-penseur, qui s'intéressait à un vaste éventail d'idées, pourvu qu'elles sortent des sentiers battus, et établissait des rapports là où personne n'avait jamais songé à en voir avant lui[60].

C'est par lui que j'ai entendu parler de laies pour la première fois et appris qu'il avait découvert des alignements de bouquets d'arbres dans les environs de sa maison.

Cette rencontre m'enthousiasma et je n'avais guère envie de rentrer chez moi. Dès mon retour, je m'étais précipité à la bibliothèque pour y emprunter *The Old Straight Track*. L'ouvrage m'en apprit davantage sur le sujet et sans tarder, je sortis des cartes locales dans l'espoir de découvrir moi-même une laie. Ce que je fis presque immédiatement, avec un bel axe de fossés qui se terminait, dans la forêt d'Ashdown, au bouquet d'arbres de Gill's Lap, que Tony Wedd avait repéré comme un marqueur potentiel.

Le sujet passionna également Jimmy Goddard, un de mes camarades de classe, et nous fondâmes le Ley Hunters Club — le Club des chercheurs de laies. Avec l'aide de Tony Wedd et d'Egerton Sykes, j'essayai d'entrer en contact avec les membres survivants du Straight Track Club. De nombreuses enveloppes me revinrent avec le cachet « Retour à l'envoyeur » et je compris que la plupart des membres étaient soit décédés, soit très âgés. Je reçus cependant quelques réponses et je garde un souvenir ému de mes visites à Joan Hatton, Christine Crosland-Symms, Charles Mayo et Harold Fisher Trew. Tous furent réconfortés d'apprendre que quelqu'un s'intéressait enfin à ce sujet. Comme je regrette de n'avoir pas eu de magnétophone !

Allen Watkins accepta de devenir le président de notre club et intervint lors de sa réunion inaugurale en novembre 1962 (également jour de la fondation de la communauté de Findhorn en Écosse). Il évoqua les dons parapsychiques de son père et comment Alfred

Watkins en arriva à percevoir les marqueurs de laies par rapport aux éléments fondamentaux — le feu, la terre, l'air et l'eau. Il était persuadé qu'on pouvait si parfaitement les classer par rapport à eux que l'une des fonctions des laies avait dû être de nature rituelle ou initiatique[120].

En 1965, nous commençâmes à publier une « lettre » — *The Ley Hunter* — qui continue à paraître après un quart de siècle. Jimmy fit un certain nombre de conférences, dont une à laquelle assistèrent John Michell et Paul Devereux. Elle suscita leur intérêt et tous deux sont devenus, depuis, d'une compétence éminente en matière de laies. Nombreux sont ceux qui se sont intéressés au sujet au cours des années 60, y compris Anthony Roberts, Nigel Pennick et Paul Screeton.

À partir des laies proprement dites, le champ d'études s'est élargi pour inclure, entre autres, le domaine du folklore. Un trésor de légendes et de contes populaires a été enregistré, qui font souvent mention de sites particuliers. Les explorateurs des laies ont ainsi été frappés de constater que les sites évoqués dans les légendes sont précisément ceux que Watkins considérait comme des repères. Cet axe de recherches s'est révélé une source de grandes satisfactions qui devaient, cependant, nous faire prendre une orientation inattendue.

3

Le folklore,
mémoire du paysage

Il n'y a guère qu'une centaine d'années que la majorité des habitants des pays industrialisés savent lire et écrire. Auparavant, comme c'est encore le cas dans une grande partie du monde, le savoir et la sagesse étaient transmis oralement. C'est l'essence même du folklore, largement constitué de récits et de légendes sur les lieux et les sites, naturels ou artificiels.

Les archéologues du XVIIIe siècle ont commencé à rassembler les légendes qu'ils ont entendues. La tradition orale fut alors transcrite et y gagna une plus grande circulation. La fin du XIXe et le début du XXe siècles virent renaître l'intérêt pour les coutumes populaires ; et dans les collections publiées en Grande-Bretagne, souvent très localement, figurent des récits émanant de toutes les régions du pays et d'ailleurs, qui témoignent de l'extrême diversité du traitement de certains thèmes récurrents.

De nombreuses légendes se rattachent à des traits naturels du paysage — sites dominants, rochers et fontaines — d'autres aux plus anciennes structures artificielles qui se sont maintenues dans l'environnement, telles que menhirs, cromlechs, tumulus, églises, calvaires. Le parallèle avec les marqueurs de Watkins était trop frappant pour échapper à l'attention de ceux qui pensaient déjà que le folklore pourrait leur fournir des indices qui contribueraient à la compréhension des laies.

Mais qu'est-ce que le folklore ? Une simple collection d'histoires ? Ou contiendrait-il le souvenir de certaines expériences réelles ? À quand remonte-t-il ? Certains éléments pourraient être assez récents, comme ceux relatifs à des sites urbains, mais d'autres, beaucoup plus anciens, sont tellement transformés que nous n'avons plus aucune idée de leur origine.

Le folklore doit donc être interprété. Ses récits ont dû évoluer considérablement au fil des siècles. Allen Watkins disait qu'on trouverait sans doute un noyau de vérité au cœur de tous les contes et légendes populaires si nous parvenions à l'atteindre sous les strates accumulées par le temps. La difficulté est de reconnaître ce noyau, de trier le bon grain de l'ivraie.

Un des principes fondamentaux de Earth Mysteries est d'accepter le fait que certaines choses surprenantes se produisent *réellement* en certains lieux. On peut concevoir le folklore, au moins en partie, comme le souvenir déformé de ces événements ou expériences. Ces derniers continuent d'ailleurs à se produire et, finalement, il n'y a pas de distinction nette entre les légendes d'origine inconnue et les récits d'événements ayant pris place de nos jours. La différence est plus une question de degré que de nature.

Un regain d'intérêt pour le folklore relatif aux lieux se manifesta dans les années 70. Deux livres — *Folklore of Prehistoric Sites in Britain (Le Folklore des sites préhistoriques britanniques)* de Leslie Grinsell[53] et *The Secret Country (Pays secret)* de Janet et Colin

Bord[11], publiés en 1976 — ont joué un rôle primordial dans ce renouveau. Le champ de ces deux livres, limité à la Grande-Bretagne, a influencé ma propre sélection d'exemples ; mais les thèmes discutés ont leurs équivalents dans toutes les parties du monde.

PIERRES VIVANTES ET AUTRES SITES

Parmi tous les éléments auxquels s'attache le folklore prédominent les pierres, qu'il s'agisse de rochers naturels ou de structures délibérément installées par l'homme. Des légendes similaires s'y rattachent en des lieux très éloignés les uns des autres, constituant un vaste ensemble de thèmes.

Quelles sont donc les propriétés légendaires des pierres ? Un nombre étonnant de contes suggèrent une forme ou une autre d'« activité », comme si elles étaient vivantes, chose étrange à la surface de la terre où elles sont l'archétype de la forme inerte et immuable.

Tingle Stone et Twizzle Stone (les Pierres qui picotent) sont deux menhirs, dans le Gloucester, auxquels ne s'attache aucune légende particulière ; ils sont cependant un excellent exemple d'effets récemment enregistrés. En 1969, quand j'ai visité la Hart Stone (comté de Durham) pour la première fois avec Paul Screeton, j'ai ressenti un violent chatouillement ; par ailleurs, Paul a rapporté des cas où la pierre semblait avoir eu des effets thérapeutiques[103].

Grinsell[53] a relaté trente-neuf de tout un ensemble de récits relatifs au mouvement des pierres, dont j'entendis parler pour la première fois alors que je campais au pied du mont Bredon dans le Worcestershire en 1960. Tout au sommet du mont se trouve une saillie rocheuse naturelle appelée la Branbury Stone. Selon la légende locale, la pierre de Branbury descend pour

52

boire jusqu'à la rivière Avon quand elle entend l'horloge de l'église sonner douze coups. Il ne s'agit là que d'une des variantes sur ce thème — certaines autres précisant que l'événement se produit à minuit, au chant du coq, au lever du soleil ou à midi. Certaines font état de moments particuliers de l'année — le nouvel an, le matin de Pâques, la nuit de la Saint-Jean ou la veille de la Toussaint. Dans certaines légendes, des pierres pivotent ou dansent avant de descendre pour se désaltérer dans la rivière locale ou le lac le plus proche. Les protubérances rocheuses naturelles, les menhirs et les cercles de pierres partagent tous ce type d'activité.

Selon la légende, certaines pierres ont véritablement quitté leur site par leur propre pouvoir, comme la Wergin Stone près de Hereford, qui s'est soudain déportée à deux cent quarante pas, exigeant le recours à neuf paires de bœufs pour être réinstallée à son emplacement précédent. D'autres, comme la Hoar Stone à Enstone, dans l'Oxfordshire, regagnent d'elles-mêmes leur implantation originale après avoir été déplacées. Dans le Suffolk, la Blaxhall Stone a la réputation d'être passée, en un siècle, de la taille d'une miche de pain à celle d'un bloc de cinq tonnes ; et dans l'est du Yorkshire, on a pensé que Drewton Pillar « poussait » quand des fragments s'en sont détachés.

L'impossibilité de compter les pierres d'un cromlech resta longtemps une croyance répandue. Les Countless Stones (Pierres innombrables) d'Aylesford, dans le Kent, sont les vestiges d'une chambre funéraire : on raconte qu'un boulanger tenta de résoudre le problème en plaçant une miche sur chaque pierre, mais au fur et à mesure, le diable les en aurait régulièrement fait tomber.

La même légende peut se rattacher à des bouquets d'arbres. Selon A.A. Milne, le bouquet de Gill's Lap est enchanté parce que personne n'a jamais réussi à en compter les arbres, même en attachant un ruban autour de chaque sujet dénombré[85].

Comme signalé précédemment, les pierres sont censées avoir des propriétés curatives. En Cornouailles, un menhir percé appelé Men-an-Tol a la réputation de guérir un assortiment d'affections et, plus particulièrement, les maladies de type rhumatismal. On dénudait jadis les enfants rachitiques pour les faire passer trois fois à travers le trou du menhir et, par trois fois, on les traînait sur l'herbe en direction de l'est. Les adultes devaient le traverser neuf fois en direction du soleil.

Le contact physique avec la pierre était souvent considéré comme indispensable. À Llangan, dans le Carmarthenshire, la Canna's Stone était supposée guérir le paludisme. Le malade devait s'asseoir et, de préférence, dormir sur la pierre après avoir bu de l'eau d'une source voisine.

Les pierres étaient également censées accorder la fécondité. La Tolven Stone, en Cornouailles, assurait celle de toute personne, homme ou femme, qui rampait nue à travers son trou. D'autres pierres garantissaient le respect d'une promesse, le succès d'un mariage, ou facilitaient la naissance d'un bébé. Dans le Warwickshire, les femmes qui souhaitaient un enfant se rendaient à la King Stone à la pleine lune et frottaient leur poitrine contre la surface de la pierre.

Le conte de la vache blanche de Mitchell's Fold, un cromlech du Shropshire, semble lié à la fécondité : une vache blanche fournissait le lait de toute la localité, mais la coutume voulait que chacun n'en traie qu'un seau. Survint alors quelqu'un « de mauvaise vie » qui préleva jusqu'à la dernière goutte de lait dans une écumoire. La vache disparut alors pour ne jamais revenir et le méchant fut transformé en pierre — la plus haute du cercle.

54

Il existe une croyance bien enracinée selon laquelle déranger un menhir ou perturber un cromlech porte malchance et la crainte engendrée par cette certitude a sans doute contribué à préserver des pierres qui, autrement, auraient pu être affectées à d'autres usages. Mal-être et maladies pouvaient advenir à ceux qui avaient ignoré ces risques : leur bétail pouvait tomber malade si des pierres d'une telle provenance entraient dans la construction de leurs étables ou écuries.

Les changements abrupts des conditions climatiques étaient souvent attribués à la perturbation d'un site. Dans le Devon, on dit qu'un pot de pièces d'or est enterré à Burley Camp, mais que toute personne essayant de le déterrer en est tenue à l'écart par l'orage et la foudre. Lewis Edwards raconte l'histoire de celui qui voulait casser la Hobgoblin Stone, une pierre appelée Carreg-y-Buci au pays de Galles, pour en faire les piliers de son portail : « À peine avais-je sorti mes outils qu'un violent orage éclata, le pire que j'aie jamais vu ! Je me suis enfui à toutes jambes, mais il m'a poursuivi jusqu'à ma maison [36] ».

Démarche plus positive, on témoignait sa vénération en laissant des offrandes. À minuit, à la pleine lune, les jeunes filles déposaient des gâteaux de farine d'avoine et de miel au pied de la pierre d'Arthur, à Gower. Puis elles en faisaient trois fois le tour sur les mains et les genoux dans l'espoir d'apercevoir leurs futurs bien-aimés.

La croyance que les cromlechs et les menhirs sont des humains pétrifiés à la suite d'une mauvaise action est extrêmement répandue et semble correspondre à un souvenir de temps lointains où ces sites étaient le lieu de pratiques rituelles. Grinsell mentionne l'association de cette tradition à plus d'une douzaine de cromlechs de la Cornouailles à l'Écosse. De même, Chris Castle rapporte qu'au Sénégal, il existe un cromlech dont on raconte qu'il est formé par les invités d'un mariage transformés en pierres[16].

Avoir dansé pendant le sabbat, ou toute la nuit jusqu'au lever du soleil, refuser le christianisme, espionner des festivités auxquelles on n'avait pas été invité faisaient partie des actes justifiant ce châtiment. Les pierres levées du cercle des Merry Maidens (Joyeuses Damoiselles) en Cornouailles sont censées être des musiciennes qui ont accéléré le tempo jusqu'à être pétrifiées par l'épuisement.

Il est intéressant de remarquer que certains nombres apparaissent régulièrement dans le folklore — tout particulièrement le trois, le sept et le neuf. Plusieurs cercles appelés « Les Neuf Demoiselles », « Les Neuf Pierres » en comportent en réalité bien davantage. Les actes préconisés autour des menhirs, tels qu'en faire le tour, doivent en général être accomplis trois ou neuf fois.

Autres que les pierres et menhirs, les sites tels que les tumulus ou les fontaines sacrées sont également au cœur du folklore. Une des plus frappantes est la légende, connue dans toute la Grande-Bretagne, de « l'église qui se déplace la nuit ». Dans l'est du Yorkshire, Home-on-Spalding-Moor est situé au pied d'une colline, sur le sommet de laquelle est bâtie l'église. Selon la légende, sa construction commença en bas de la colline. Mais les murs qu'on montait étaient renversés pendant la nuit. Jusqu'au jour où les villageois comprirent que les fées désapprouvaient ce site. La construction fut alors entreprise sur la hauteur, à l'évidente satisfaction des fées[108].

LES ESPRITS DES LIEUX

Les sites ancestraux sont traditionnellement connus comme demeures d'êtres ou d'entités émanant d'univers autres que celui du quotidien. Fantômes, fées, dragons, géants, le diable et les voyageurs intersidéraux les ont tous visités à un moment ou un autre.

De telles légendes existent dans le monde entier. Je m'en tiendrai donc à deux sites des landes du Yorkshire, à quelques kilomètres de mon domicile.

William de Newburgh, qui vécut au XIIᵉ siècle, a relaté la légende populaire attachée à un grand tumulus néolithique rond, connu sous le nom de Willy Howe. Un soir, un habitant de la région rentrait chez lui, assez imbibé de boisson. Il entendit des voix venant du tumulus, comme si des gens chantaient à la table d'un banquet. Voulant s'enquérir et apercevant une porte sur le côté du tumulus, il regarda à l'intérieur et vit des hommes et des femmes qui préparaient un repas cérémoniel. L'un des participants lui offrit une coupe ; mais au lieu de boire, il en jeta le contenu et s'enfuit avec la coupe. Poursuivi, il réussit à s'échapper. Faite d'un matériau inconnu, d'une couleur et d'une forme inhabituelles, la coupe fut alors offerte au roi[89].

John Nicholson a enregistré la légende suivante relative à un site à quelques kilomètres de Willy Howe :

À mi-chemin de la pente d'une colline appelée Nafferton Slack se trouve, sur le côté de la route pour empêcher les chariots de s'en écarter, une grosse pierre à laquelle étaient attribués des pouvoirs magiques. La nuit, à certaines époques, elle s'embrase, apparaissant parfois comme l'entrée d'un couloir brillamment éclairé ; et un vieux casseur de pierres a raconté qu'il en avait entendu sortir une musique si merveilleuse qu'il n'avait jamais rien entendu de comparable ; et qu'en une autre occasion, il avait vu s'y rendre des groupes d'elfes en costumes gaiement colorés, certains à pied, d'autres en voitures, tous pénétrant dans ce hall mystérieux[89].

Il existe plusieurs théories sur les fées. Selon l'une, elles descendraient d'une ancienne race — le « petit peuple » — et auraient conservé leur foi païenne et leurs demeures, telles que les tumulus et les menhirs.

Les peuples anciens et ceux qui habitent la campagne étaient sans doute plus sensibles aux esprits de la nature ou entités qui se cachent sous des apparences physiques. Par interaction avec l'observateur, ces dernières peuvent se manifester sous une forme qui lui soit acceptable, d'où les variantes locales que j'examinerai dans un chapitre ultérieur.

Selon la tradition, de nombreux sites, naturels ou artificiels, sont dus au diable ou à des géants. Une légende typique est liée à un grand gouffre naturel, le Hole of Horcum (Trou de Horcum) et à Blakey Topping, une colline de forme conique, tous deux dans les landes du Yorkshire. Wade, tantôt diable, tantôt géant, est censé avoir creusé le trou au cours d'une querelle avec son voisin pour lui lancer la terre qui, en retombant, forma Blakey Topping.

La construction des tertres importants est souvent attribuée au diable, de même que l'origine des menhirs, des pierres qu'il aurait lancées comme dans le cas de Devil's Arrows, près de Boroughbridge dans le Yorkshire.

L'anthropologue Margaret Murray a déclaré que le dieu d'une religion devient le diable de l'autre [88] ; ces légendes pourraient indiquer que les lieux auxquels elles se rattachent étaient sacrés avant la christianisation, le nom de nombreux sites connus pour leur lien avec la vieille religion comportant d'ailleurs le mot « diable », comme le rocher dit Devil's Pulpit (le Pupitre du diable) à Tealby, dans le Lincolnshire.

Parmi les légendes répandues dans toute la Grande-Bretagne et mettant en scène des dragons, celle de Nunnington (Yorkshire) est typique : le héros, un chevalier du nom de Peter Loschy, en lui livrant bataille, réussit à sectionner quelques parties du corps du dragon, que son chien emporta dans sa gueule. Mais la tête était empoisonnée et le chien en mourut, après avoir léché son maître qui, par conséquent, mourut à son tour[104].

Cette légende présente des traits communs à de nombreuses histoires de dragons. Les dragons étaient puissants et leur souffle empoisonné. Ils se battaient souvent entre eux et attaquaient les humains, jusqu'à ce qu'ils soient eux-mêmes abattus par un héros plein de bravoure, fréquemment sur un site ancestral. Souvent, ils s'enroulaient autour des collines rondes.

Que la Chine ait aussi ses dragons n'est pas sans intérêt. Dans le chapitre suivant, nous aborderons l'approche chinoise du paysage, y compris des forces sous-jacentes à leur conception des dragons, qui nous permettra peut-être d'établir des parallèles avec des exemples britanniques.

RASSEMBLER LES FILS

J'ai supposé, au début de ce chapitre, qu'il y a un grain de vérité dans les légendes et le folklore. En ayant examiné les principaux éléments par rapport aux sites, quelles conclusions pouvons-nous en tirer ?

Il en ressort ce qui suit : toute perturbation des pierres et menhirs pourrait avoir un effet direct et spectaculaire sur le climat ; parfois, les pierres semblent rougeoyer, des sons étranges s'en échappent ; leur contact peut provoquer une perte d'équilibre, des chatouillements ou des étourdissements ; mais il peut aussi avoir des effets bénéfiques sur la santé et la fécondité. Ces phénomènes sont associés à des moments clefs des cycles annuels, mensuels ou journaliers, tels que le solstice d'été, la pleine lune ou minuit. Il semble que, traditionnellement, les pierres soient censées danser en ces conjonctures particulières.

À la lecture et à l'examen de toutes ces légendes, une interprétation semble s'imposer, qui est la plus largement acceptée par les membres d'Earth Mysteries : le folkore associé aux sites ancestraux correspond à une survivance de l'ancienne religion dite païenne, et à une de ses sources, qui est l'existence d'une forme d'énergie à laquelle nos lointains ancêtres étaient sensibles et qu'ils utilisaient pour leurs guérisons et leurs rituels.

Il est vrai que cette conception peut être controversée. Certes, Grinsell s'en tient strictement à des faits, mais Janet et Colin Bord[11] soutiennent cette thèse, suivant ainsi les pas de John Michell, Tony Wedd et d'autres auteurs des années 30. Cette interprétation peut être incorrecte, mais personne n'en propose de meilleure. On ne peut contester qu'elle compose un réseau d'idées cohérentes et qu'elle propose, à tort ou à raison, une théorie à l'intérieur de laquelle on peut apprécier les légendes et le folklore.

En considérant à nouveau ces légendes dans l'optique d'une interprétation énergétique, nous pouvons postuler que, dans les cas de guérison, c'est l'énergie qui guérit, en particulier s'il y a mouvement dans une direction donnée ou contact prolongé ; mais la légende de la vache blanche de Mitchell's Fold nous rappelle que la source d'énergie n'est pas intarissable et qu'un mauvais usage peut l'épuiser définitivement.

Les légendes inspirées par la mobilité des pierres naissent du fait que si les pierres sont vivantes et douées d'énergie, cette dernière affecte notre perception, d'une manière ou d'une autre, et nous donne l'impression que les pierres se déplacent. La même théorie énergétique s'applique aux roches qui tournent, oscillent, dansent ou provoquent l'étourdissement, et peut également expliquer les légendes relatives à celles qui brillent, chatouillent, émettent des sons ou de la musique.

De la même manière, l'énergie irradiant des sites pourrait agir sur certains individus en modifiant leur niveau de conscience, leur permettant de percevoir les entités légendaires qui habitent traditionnellement ces lieux.

L'importance de tel ou tel moment de la journée, du mois ou de l'année suggère des fluctuations de cette énergie en fonction de cycles cosmiques avec lesquels les anciens rituels étaient en accord. Si l'on s'en tient au folklore, ils incluaient danse et musique au cours de la nuit, y compris lors du sabbat, et les légendes faisant état de pétrification impliquent une désapprobation de ces anciennes pratiques païennes.

Il ressort de tous ces récits qu'il fut un temps, dans le passé, où les humains étaient conscients de l'énergie émanant des sites ancestraux. Cette conscience remonte très loin et pour en retrouver la trace, nous devons quitter le domaine du folklore et pénétrer dans celui des anciennes philosophies.

4

Les énergies de la Terre

L'effort de recherche entrepris en 1977 par Paul Devereux, rédacteur du magazine *The Ley Hunter,* repose sur les indices fournis par le folklore, indiquant qu'il existe une certaine forme d'énergie, associée aux sites ancestraux en général et aux menhirs et dolmens en particulier. Il lui donna le nom de « projet Dragon » et le décrivit comme « une tentative sans prétention, mais pluridisciplinaire et plurimodale, de compréhension des monuments énigmatiques de la préhistoire ». Une partie du projet se proposait de contrôler des énergies physiques connues — radioactivité, magnétisme, émissions d'ultrasons, etc. — au cromlech de Rollright dans l'Oxfordshire. Devereux disposait de moyens limités et toute déduction doit rester prudente ; il recueillit cependant des indices de variations cycliques des énergies étudiées et, dans un nombre significatif de cas, il constata une différence spectaculaire entre les valeurs enregistrées à l'extérieur et à l'intérieur du cromlech, comme nous le relatons plus en détail au cinquième chapitre.

PHÉNOMÈNES LUMINEUX

En parallèle, Devereux entreprit personnellement une étude de ce qu'il appelle les « lumières de la terre ». Il s'agit de phénomènes lumineux émanant de la terre même, qui se produisent tout particulièrement dans des secteurs de failles géologiques, sur des sommets ou des plateaux montagneux, sur des plans d'eau ou des gisements minéraux. Les lois de l'électromagnétisme n'en fournissent pas d'explication satisfaisante. Paul Devereux pense que diverses manifestations que nous appelons tantôt ovnis, tantôt fantômes, feux follets ou apparitions de toutes sortes, pourraient être des phénomènes telluriques lumineux [23, 25].

Ces derniers sont fréquents dans certains lieux, comme à Marfa dans le sud-ouest du Texas. La première relation écrite y date de 1883. On signala des lumières blanches, jaunâtres et orange de la taille d'une grosse balle de tennis, mobiles, exécutant parfois de véritables acrobaties aériennes. Selon certains témoignages, il arrive qu'elles surgissent soudain, changent de forme, puis se fondent pour se séparer à nouveau.

Dans les années 70, Devereux entreprit avec Andrew York une étude de son Leicestershire natal pour découvrir s'il existait une corrélation entre divers phénomènes, caractéristiques géologiques et sites ancestraux. Ils obtinrent en effet des confirmations catégoriques de rapports entre les régions de failles géologiques et les événements météorologiques atypiques, y compris les ovnis [30].

Une étude étendue à toute la Grande-Bretagne établit d'ailleurs un rapport étroit entre les manifestations d'ovnis et les secteurs d'activité tectonique. De plus, elle révéla que tous les cromlechs d'Angleterre et du pays de Galles se trouvent situés dans un rayon maximal de mille cinq cents mètres d'une faille géologique ou sur une coulée de lave associée[23].

L'énergie qui engendre les phénomènes lumineux semble affecter les êtres et les rendre plus aptes à percevoir les choses sur un mode parapsychique. Elle peut provoquer des phénomènes paranormaux tels que les poltergeists, comme près de Hessdalen (Norvège), où plusieurs centaines de photographies de phénomènes lumineux ont été réalisées, justifiant l'installation d'un poste et d'un écran de contrôle permanents.

L'inverse semble également vrai : apparemment, cette énergie réagit aux structures idéelles et psychiques, de sorte qu'elle peut effectivement se mouvoir et changer de forme en fonction de l'état d'esprit de l'observateur.

UNE ÉNERGIE SUBTILE ?

La question fondamentale est de savoir si les récits, les enquêtes, les indices d'ordre anecdotique et le folklore font allusion à une forme d'énergie connue qui peut être intégrée dans l'ensemble des connaissances acquises, ou s'ils témoignent de l'existence d'un autre type d'énergie, plus mystérieuse, peut-être plus essentielle, qui agirait d'une façon totalement différente. Devereux ne propose aucune conclusion sur ce point, mais il est persuadé que nous ne connaissons que quelques-unes des « forces invisibles et plus subtiles qui parcourent la création » ; par ailleurs, celles que nous commençons à découvrir pourraient opérer dans des contextes qui nous échappent encore.

Depuis des milliers d'années, l'existence d'une « force de vie » fondamentale a fait l'objet d'une multitude de formulations dans toutes sortes de civilisations, émergeant indépendamment de sources ayant peu de contact les unes avec les autres[127].

Compte tenu de l'extrême variété des cultures, les caractéristiques de cette notion sont remarquablement constantes et suggèrent qu'une certaine réalité se profile derrière la littérature ésotérique, les philosophies antiques et ce que rapportent des chercheurs s'aventurant hors des sentiers battus. La cohérence qui se dégage de ces diverses sources donne réellement le sentiment d'une énergie aux caractéristiques spécifiques et permanentes.

Une des plus anciennes descriptions de cette force vitale est celle du *prana* dans les textes classiques hindous et les enseignements yogiques. Le *prana* est perçu comme une énergie universelle circulant dans et hors du corps humain sous forme de courants, les énergies connues étant considérées non comme distinctes les unes des autres, mais comme manifestations multiples de cette énergie fondamentale unique. Le *prana* peut être inspiré et dirigé vers les différentes parties du corps à travers des « canaux » dont le trajet correspond à celui des nerfs. Il est présent dans tout l'univers et se répand dans et hors du corps à travers des centres d'échange appelés *chakras*, situés à la base de la colonne vertébrale, au niveau des organes génitaux, du plexus solaire, du cœur, de la gorge, du front et de la « couronne » au sommet du crâne.

La cosmologie antique faisait état d'un cinquième élément, l'éther. Perçu comme une forme plus pure du feu ou de l'air, il emplissait tout l'espace. Les mythologies nordiques le nommaient *önd,* et les druides le connaissaient sous les noms de *vouivre* ou *nwyvre*.

Tout comme Hippocrate, qui l'appelait *vis medicatrix naturae* (pouvoir guérisseur de la nature), les alchimistes médiévaux connaissaient aussi cette énergie, sous le terme de *munia* — le fluide vital.

À Hawaii, les chamans kahunas enseignaient qu'il existe une énergie appelée *mana,* porteuse de structures idéelles et capable de flotter sur des éléments de substance corporelle.

Le médecin Paracelse (1490-1541) l'envisageait comme une influence « magnétique », pareille au « parfum qui se dégage d'un lys » et permettant à ceux qui la possédaient de guérir leurs semblables. Son disciple Van Helmont la décrivit comme rayonnant dans et autour de l'individu à la manière d'une sphère lumineuse.

Anton Mesmer (1734-1815) acquit une grande réputation en traitant ses semblables par ce qu'il appelait le « magnétisme animal ». Son élève, d'Eslon, formula les lois selon lesquelles aurait fonctionné le magnétisme animal : il s'agissait d'un fluide universel, continu, et subtil dans la mesure où il était animé de mouvements de flux et de reflux ; concentré dans le corps humain comme dans un aimant, il pouvait être accumulé et transmis à distance.

En 1860, le baron Karl von Reichenbach, qui découvrit la créosote, publia les résultats de nombreuses expériences avec des médiums utilisant des techniques leur permettant de sentir une énergie qu'il appelait « la force odique », « od » ou « odyle ». Il la distingua tout d'abord de la chaleur, puis de l'électricité, du magnétisme et, graduellement, en arriva à décrire ses propriétés, très proches de celles du « magnétisme animal » [100].

Plus près de nous, Wilhelm Reich (1897-1957) développa au maximum cette théorie d'une énergie fondamentale. Élève de Freud, il consacra ses premiers travaux à la psychanalyse, puis évolua vers les disciplines qu'il considérait comme apparentées — la biologie, la physique, la météorologie, l'astronomie et la politique.

Dans ses recherches thérapeutiques, il observa que les troubles mentaux et émotionnels se reflètent souvent dans l'apparence physique du patient et il en déduisait que les émotions sont « piégées » dans le corps par des tensions musculaires. On peut citer comme exemple la façon dont nous maîtrisons la colère en serrant les mâchoires. Pour libérer ces blocages émotionnels, Reich mit au point des techniques combinant la relaxation, la maîtrise de la respiration et les massages. Ces travaux l'amenèrent à conclure qu'une énergie non reconnue circule dans le corps humain et que son flux y est interrompu par les tensions musculaires. Ses techniques thérapeutiques permettaient de dissoudre les blocages et de rétablir la libre circulation de l'énergie corporelle.

Cette énergie était-elle une réalité objective ou une façon d'envisager des processus connus d'un point de vue différent ? En 1939, Reich en trouva des indices « par hasard » au cours d'expériences de création de nouvelles cellules vivantes appelées « bions ». Il constata qu'elles produisaient des effets tels que le rougissement de la peau, la conjonctivite et le brouillage des plaques photographiques, en dépit de vérifications témoignant de niveaux normaux de radioactivité.

Des expériences plus approfondies avec cette énergie, qu'il décida d'appeler « orgone », démontrèrent qu'elle était partout présente dans l'atmosphère et, plus particulièrement, dans les êtres vivants. Elle semblait circuler des systèmes les plus faibles vers les plus forts, en contradiction avec le deuxième principe de la thermodynamique. Toujours en mouvement par vagues et pulsations, elle se déplaçait dans l'atmosphère dans le sens ouest-est. Dans l'obscurité, elle pouvait être observée sous la forme d'un clignotement lumineux bleu gris ; et l'orgone recelait une force capable d'animer un moteur[10].

Remarquant que l'orgone est attiré et absorbé par les matériaux organiques alors que le métal absorbe d'abord l'énergie et la renvoie ensuite rapidement, il construisit une cabine, alternant les épaisseurs de métal et de matière organique, la paroi intérieure étant recouverte de métal. Cette composition provoqua à l'intérieur de la cabine une accumulation d'énergie orgone variant avec le nombre d'épaisseurs ; et il constata qu'un moment de séjour quotidien dans cette cabine favorisait les processus de guérison.

Le même principe est à la base de la couverture d'orgone : plus pratique que la structure accumulatrice décrite plus haut, elle peut être constituée d'une couverture de laine animale doublée d'une couche de laine d'acier couverte d'un fin tissu de coton. Les parties malades peuvent être entourées de cette couverture, côté laine d'acier vers l'intérieur.

LE SAUT DES SAUMONS

Il est significatif que cette énergie, que toutes sortes de sociétés et de cultures semblent avoir reconnue sous des termes divers, soit presque totalement ignorée par la science orthodoxe. Ceci nous conduit à d'autres aspects méconnus généralement appelés parapsychiques, paranormaux, ésotériques ou occultes et invite à supposer une connexion possible.

La croyance dans les dons ou les phénomènes paranormaux repose sur la conviction qu'il existe des réalités autres que physiques. Brian Larkman, qui étudie les mystères de la Terre, nous rappelle que la physique contemporaine parle de « particules virtuelles » qui naissent pour des laps de temps infinitésimaux avant de disparaître. Il avance que ces particules passent la majeure partie de leur temps à l'état éthérique ou non matériel et pénètrent momentanément le plan physique à la manière des saumons, visibles de façon éphémère quand ils bondissent au-dessus de la surface des rivières. Il conclut : « Un tel processus pourrait être responsable de nombreux phénomènes mystérieux, peut-être même de la plupart des manifestations paranormales qui, pareilles aux saumons, sont souvent extrêmement fugaces [72]. »

Une grande variété d'indices, d'ordre scientifique aussi bien qu'anecdotique, permettent d'envisager l'existence d'états autres que physiques, et on peut les concevoir de diverses façons. Selon le « spectre parapsychique », par exemple, on peut percevoir différents niveaux de réalité ou « vibrations », comme il existe différentes fréquences du spectre de la lumière visible. Certains proposent un système élaboré de « plans d'existence », allant du plan physique le plus dense au plan le plus élevé et le plus profond. Une chose est claire : tous ces états sont décrits comme un continuum et non comme une succession de plans séparés.

Il semble que l'ensemble de l'univers, y compris la Terre et ses habitants, soit présent en tous les points de ce continuum et que, par conséquent, nous existons réellement en tant qu'êtres sur tous ces plans.

On peut raisonnablement supposer que les peuples archaïques étaient sensibles à la réalité de ces autres niveaux d'existence, en fonction desquels ils réglaient leurs vies, et peut-être devrions-nous voir dans cette conscience l'origine d'une large partie du folklore.

Le biologiste Rupert Sheldrake a abondé dans le sens de ces autres niveaux de réalité. Au cours des dernières années, son livre *Hypothesis of Formative Causation (Hypothèse de la causalité formatrice)* a suscité une vive controverse dans les milieux scientifiques. À la suite de ses recherches sur des problèmes biologiques restés jusqu'ici sans réponse, y compris la question de savoir comment l'œuf ou la graine peuvent contenir l'essence qui aboutira au nouvel individu d'une espèce donnée, il a formulé une idée depuis long-temps familière à ceux qui ont une culture ésotérique ou spirituelle : Sheldrake a suggéré l'existence de ce qui implique forcément un « moule » ou un « modèle » non physique, qu'il appelle un « champ morphogénétique » ; ce champ survivrait à la mort de la forme physique et façonnerait la forme de l'individu arbre, animal ou fleur de chaque espèce, tout comme le champ individuel d'un aimant peut faire naître un motif dans la limaille de fer. Il a suggéré que ces champs sont modelés par la forme et le comportement des organismes antérieurs de la même espèce par l'intermédiaire de connexions directes à travers l'espace et le temps, un processus qu'il appelle la « résonance morphique »[105].

LE CORPS SUBTIL

L'idée d'une composante non physique dans le corps humain est acceptée depuis des milliers d'années et il est frappant de constater que le thème de l'énergie s'exprime fortement dans toutes les descriptions qui en sont faites.

Ce corps subtil, appelé aussi éthérique, ou astral, peut être perçu par les êtres qui y sont « sensibilisés ». Il affecte la forme d'une aura autour du corps physique. Le Dr Walter Kilner en a facilité la perception en mettant au point des filtres traités par une solution de dicyanine qui sensibilisent les yeux. Ces filtres sont aujourd'hui disponibles sous forme de lunettes[65].

L'aura est un corps énergétique. L'énergie y est transformée par l'intermédiaire des *chakras*. Ces derniers reflètent la vitalité du sujet et les « sensibilisés » peuvent souvent y déceler la maladie ou le mal-être avant qu'ils se manifestent sur le plan physiologique.

70

De même que le sang circule à travers le corps physique, l'énergie circule à travers et entre les corps subtils. Pratiquement toutes les méthodes thérapeutiques traditionnelles admettent l'existence de ce flux énergétique, et que la maladie résulte de blocages de sa circulation, dont le libre rétablissement entraîne celui de la santé. Dans son essence, la vieille technique yogique consistant à faire monter la *kundalini* n'a d'autre but que de rétablir la libre circulation de l'énergie à travers les *chakras* sans qu'elle y rencontre d'obstruction.

L'ESPRIT DE LA TERRE

On peut établir de nombreux parallèles entre l'individu humain et la Terre. Dans les années 30, on commença à formuler des idées dans ce sens, établissant un lien entre la vieille notion d'énergie vitale et le concept d'énergies liées à des lieux mentionnés dans le folklore. On commença également à suggérer que les laies n'étaient pas seulement les pistes des commerçants, comme Watkins l'avait d'abord envisagé ; mais que si elles n'étaient pas réellement les canaux dans lesquels circulait cette énergie tellurique, elles y étaient à tout le moins étroitement associées.

L'écrivain ésotérique Dion Fortune fut une des premières à développer ce thème dans son livre *The Goat-Foot God (Le Dieu au pied de chèvre)* : en Angleterre, elle considère Tintagel au nord de la Cornouailles, St Albans dans l'est, Lindisfarne au nord et St Albans Head dans le sud comme des « centres de force », et les lignes qui les relient comme des « lignes de force » ; et elle déclare que les païens rendent leur culte aux dieux anciens sur ces trajectoires plutôt que sur les centres de force eux-mêmes, que les chrétiens avaient eu tendance à « exorciser » en y érigeant des chapelles dédiées à saint Michel. Elle affirme également que « ... là où des êtres ont toujours cherché et tendu vers l'inconnu, ils ont créé une sorte de voie qu'il est beaucoup plus facile de suivre [41] ».

Arthur Lawton, du Straight Track Club, fut un autre écrivain pionnier de ces énergies telluriques. En 1938, il avança que les laies et les sites préhistoriques dessinaient un réseau d'énergie subtile qui pouvait être détectée. Il établit la réalité de certaines distances standard, conjecturant qu'elles étaient dues à une « force cosmique » créant à la surface de la Terre un réseau en forme de cristaux [73].

Parlant de ce qu'il appelle « l'esprit de la Terre », John Michell écrit :

> Les rochers, les arbres, les montagnes, les fontaines et les sources étaient reconnus comme réceptacles de l'esprit, témoignant selon les saisons de leurs différentes propriétés, fertilisant, guérissant ou augurant... De façon caractéristique et conforme à la nature féminine de la Terre, son esprit a tendance à se replier, à décroître dans les sombres profondeurs de ses entrailles [83].

Il se trouve ainsi en accord avec la théorie de l'archéologue et radiesthésiste Tom Lethbridge sur le champ de force de la Terre, qu'il croit concentré en certains sites naturels tels que fontaines, chutes et cours d'eau : en ces lieux, l'aura humaine pourrait interférer avec le champ de force. Dans un certain état d'esprit, l'individu pourrait projeter une puissante charge émotionnelle sur un lieu donné ; dans un état similaire, un sensibilisé pourrait percevoir cette charge. Lethbridge voyait dans ces phénomènes l'origine des nymphes des éléments dont parlent les mythologies anciennes —

naïades des fontaines, des chutes et des cours d'eau, driades des arbres et des forêts, oréades des montagnes et déserts et néréides du fond des océans[51]. Au fil des générations, l'interaction entre un contexte culturel particulier et l'énergie d'un lieu donné pourrait déterminer une image ou un archétype puissant.

La conception de la Terre en tant qu'être vivant, auquel James Lovelock a donné le nom de la déesse grecque Gaia, est une des plus convaincantes corroborations de l'existence des énergies telluriques et de l'esprit de la Terre. Savant et penseur indépendant dans diverses disciplines ; inventeur prolifique qui contribua à la naissance du mouvement en faveur de l'environnement, Lovelock a étudié, à la suite de travaux pour la NASA, les conditions nécessaires à la perpétuation de la vie. Il constata alors que la planète Terre avait généré un système autorégulateur grâce auquel chacun des nombreux facteurs variables — température, composition de l'air, sols et océans — a été préservé pendant toute l'histoire de la planète, dans les étroites limites nécessaires à sa survie. Elle avait donc toutes les caractéristiques d'un être vivant, et Lovelock en a déduit qu'effectivement, la Terre est bien un être vivant[76].

Cette récognition a eu un impact considérable non seulement dans le domaine de l'écologie, mais aussi dans le mouvement Earth Mysteries. En effet, si la Terre est un être vivant, elle doit donc avoir une aura comparable à l'aura humaine, ainsi que des *chakras* et des courants d'énergie.

LE SOUFFLE DE LA NATURE

Nous ne pouvons nous en tenir qu'aux spéculations en ce qui concerne les expériences des peuples anciens ; mais nous pouvons nous tourner vers la

Chine pour y observer un système, toujours en vigueur, concernant très spécifiquement le rapport entre les énergies telluriques et le paysage. Nous parlerons à nouveau du *feng shui* — ce qui signifie « vent-eau » — dans le huitième chapitre[37].

La pratique du *feng-shui* implique la récognition du rôle de l'énergie dans la santé et le bien-être de l'individu ; cette énergie que les Chinois nomment *ch'i* — « souffle de la nature » — est le principe fondamental sur lequel repose la thérapeutique ancestrale de l'acupuncture. Il est élargi jusqu'à inclure l'environnement naturel et les courants énergétiques qui le parcourent, envisagés comme facteurs favorables ou nuisibles à la santé et au bien-être.

Les Chinois ont élaboré une conception du paysage qui intègre la notion de l'équilibre énergétique du lieu, où ils perçoivent les courants du *ch'i* se concentrant ou stagnant en certains points, ou se dispersant à partir de certains autres.

Le souffle de la nature peut être compris comme le jeu des forces *yin* et *yang,* circulant en courants appelés *lung mei* (veines du dragon) dans le paysage dont ils épousent parfois les contours. Ils sont perçus comme deux courants d'énergie différents mais complémentaires — le « dragon d'azur » et le « tigre blanc » —, deux aspects de la même énergie qui doivent être équilibrés. Si l'énergie est bloquée, elle peut se transformer en ce que les Chinois appellent *sha,* c'est-à-dire le *ch'i* devenu inactif et malsain.

La géomorphologie détermine le comportement de l'énergie. Son accumulation favorise la croissance, sa dispersion provoque l'aridité ; un excès d'énergie autorisée à stagner entraîne la mort et la décomposition. Le paysage *yin* est doucement vallonné, le paysage *yang* présente des pentes abruptes, des montagnes et des affleurements. Idéalement, les deux énergies devraient s'équilibrer et les points d'articulation de deux paysages exprimant ces deux différents types d'énergie constituent les meilleurs sites.

Dans un paysage dominé par des formes *yang* — dans les montagnes, par exemple — le meilleur site est celui qui présente certaines caractéristiques *yin*. C'est le cas, dans le Lake District (Région des lacs), du cromlech de Castlerigg, situé sur un plateau entouré de sommets montagneux. En fait, de nombreux cromlechs se trouvent dans ce type de site. Dans un paysage dominé par le *yin,* le site favorable est celui qui comporte des caractéristiques *yang* : c'est le cas de Glastonbury Tor et d'Ayers Rock, site sacré des aborigènes australiens. Tous deux présentent des reliefs proéminents se détachant sur une plaine.

Les montagnes où les « veines du dragon » circulent juste sous la surface sont de puissantes sources de *ch'i*. Les sommets montagneux sont classés en fonction de leur forme et par rapport aux cinq éléments — le feu, le bois, l'eau, le métal et la terre. Le bois, par exemple, est représenté par un pic étêté et le feu par un sommet pointu.

Le *ch'i* s'écoule le long des voies d'eau, le trajet idéal étant lent, sinueux et profond, favorisant ainsi l'accumulation d'énergie. Les cours d'eau linéaires, les tournants abrupts dispersent trop rapidement le *ch'i*. Les confluences sont excellentes en raison de l'énergie qui s'y concentre.

Les terres bien drainées, en pente douce, sont propices à une bonne répartition des énergies, alors qu'il vaut mieux éviter les basses terres mal drainées. Les arbres contribuent à entretenir un haut niveau d'énergie et sont généralement favorables.

CHAMPS INSAISISSABLES

La combinaison des traditions et des indices accumulés récemment par la recherche contribue à confirmer la présence d'une énergie réelle mais insaisissable dont les peuples ont toujours eu conscience, et plus particulièrement en certains lieux de la nature.

À notre stade actuel, nous ne pouvons affirmer s'il s'agit d'énergies « connues » ou si les indices témoignent d'une force plus fondamentale derrière les propriétés et les manifestations observées. Nous connaissons encore très peu les effets sur le paysage de tout le spectre des énergies naturelles dont l'existence est avérée. Il semble, par exemple, que le *ch'i* ait une large gamme d'effets énergétiques ; et Paul Devereux a suggéré que le *sha,* sa forme malsaine, pourrait en fait n'être autre que le radon[28].

Quoi qu'il en soit, et une fois pris en compte tous les facteurs, certains effets restent inexplicables par les termes de la science orthodoxe. Sans aucun doute, l'énergie à la base des phénomènes lumineux a des propriétés électromagnétiques ; mais certains de ses aspects, telle son aptitude à réagir à l'idéation de ceux qui la perçoivent, laisse soupçonner la présence d'autres éléments.

À sa base, Paul Devereux voit un substrat qui ne peut être décrit que comme *conscience ;* ce substrat serait un effet de champ et le cerveau humain ne ferait que le traiter par un processus comparable à celui par lequel un poste de télévision traite les signaux reçus.

Il pense que les sites anciens ont été implantés en des points particulièrement aptes à entraîner des états modifiés de la conscience. Ils bénéficiaient certainement du magnétisme des pierres et d'un niveau naturellement élevé de radiations — chose alors plus rare que dans nos sociétés de technologies hautement développées. Étant donné le stade de l'orthodoxie culturelle de notre société, Paul Devereux est persuadé que si cette énergie subtile fondamentale est bien le champ de conscience de la Terre, il ne peut réellement être perçu que dans un état de conscience modifié.

Si nous envisageons sérieusement les idées de Sheldrake sur les champs morphogénétiques, nous pouvons supposer qu'un champ énergétique caché sous-tend effectivement la formation du paysage lui-même, lui conférant sa forme et son caractère.

Ces hypothèses doivent-elles rester des spéculations ou disposons-nous de moyens d'explorer plus avant cette mystérieuse énergie de la Terre ?

5

Le pouls de la Terre

Si les énergies telluriques existent, que pouvons-nous apprendre à leur sujet ? Nos méthodes doivent être adaptées et nos motivations parfaitement claires. Le but n'est pas de prouver quelque chose — le mot preuve étant très relatif, différentes personnes exigeant différentes quantités de preuves pour être convaincues. Ceci peut être dû à leur niveau de conscience ou, comme l'exprime Edward de Bono dans son second principe de la pensée, au fait que ce qui apparaît comme « preuve » n'est souvent qu'un défaut d'imagination qui nous empêche d'entrevoir une autre explication[22].

La méthode scientifique du pas-à-pas n'est pas la seule approche possible : suivre les intuitions créatrices et productives est tout aussi valable ; et peu importe si certaines idées ne coïncident pas avec les critères de jugement de l'orthodoxie du moment. Mais il est indispensable d'accepter de prendre des risques et de commettre des erreurs. Élément de notre propre recherche, nous nous y retrouverons nous-mêmes. Les astrologues établiraient peut-être un rapport entre l'approche choisie par un individu et les aspects planétaires de son thème astral ; l'analyse reichienne l'envisagerait par rapport à sa cuirasse caractérielle. Quoi qu'il en soit, si nous parvenons à prouver quelque chose à *notre* propre satisfaction, nos énergies seront libérées pour progresser dans notre recherche : le prouver aux autres est secondaire.

Personnellement, je partage l'approche de Tony Wedd, qui consiste à accepter ce qui a été avancé comme hypothèse de travail temporaire et à voir où elle mène : c'est l'attitude du technicien par opposition à celle du scientifique. Je me propose donc de suggérer des méthodes pour découvrir les énergies telluriques et comprendre les processus à l'œuvre, comment les peuples anciens se situaient par rapport à ces énergies, et comment nous pourrions, nous aussi, établir avec elles un lien plus étroit.

Il est primordial d'adopter une approche holistique reposant à la fois sur l'analyse et l'intuition ; et ce n'est sans doute pas par hasard que nombre de pionniers en matière de géobiologie et dans le mouvement Earth Mysteries ont une double formation dans les arts et les sciences, et perçoivent ainsi la fécondité de la combinaison des deux approches.

ARCHÉOLOGIE ORTHODOXE

Pour découvrir les peuples anciens et les sites qu'ils construisirent et utilisèrent, nous pouvons, en premier lieu, nous adresser aux archéologues. Depuis que l'archéologie s'est constituée, elle a accumulé beaucoup de connaissances. Elle est devenue une discipline de plus en plus scientifique, s'appuyant sur des techniques modernes telles que la photographie aérienne, qui a notablement contribué à la découverte de nouveaux sites, ou la datation par le carbone qui a remis en question la chronologie établie.

S'il est vrai que nous disposons grâce à elle d'une somme importante d'informations, l'archéologie est, par sa nature même, orientée au premier chef vers les découvertes concrètes, qui tendent à concerner principalement le niveau quotidien et domestique de l'existence. Il lui est plus difficile d'investiguer sur les aspects abstraits des sociétés préhistoriques, et la raison d'être des grandes constructions mégalithiques, par exemple, reste pratiquement aussi mystérieuse qu'elle l'était il y a plus de cent ans.

En ayant pris conscience, les archéologues cherchent maintenant une alternative à leur approche traditionnelle en considérant les sites comme éléments du paysage en rapport les uns avec les autres, une attitude que les étudiants des laies et les membres d'Earth Mysteries prônent depuis une vingtaine d'années.

L'archéologie orthodoxe évolue donc lentement et témoigne d'une volonté d'envisager de nouvelles approches ; en même temps, les passionnés des mystères de la Terre ont commencé à se former à l'archéologie. Mais certaines des découvertes les plus enrichissantes sur des sites anciens ont été effectuées par des chercheurs du projet Dragon, présenté plus loin dans ce chapitre, formés à d'autres disciplines que l'archéologie.

Cela dit, de récentes découvertes archéologiques ont conféré une valeur supplémentaire à l'étude des mystères de la Terre : elles ont confirmé que la linéarité est une caractéristique prééminente du paysage préhistorique, et que la fonction de monuments comme les tumulus ne relevait pas uniquement du rituel.

L'APPROCHE INTUITIVE

Nous savons que le scientifique parfaitement détaché et objectif est un mythe : nous sommes tous indissociablement liés à l'objet de notre observation. La distinction entre l'individu et ce qu'il recherche peut être insaisissable ; le problème étant que nous ne savons jamais jusqu'à quel point. On peut en juger lorsque l'objet de la recherche est physique et concret ; mais en ce qui concerne les énergies telluriques, il est malaisé de faire la part de ce qui émane de l'observateur et de ce qui émane du site.

Comme son nom l'indique, le sixième sens autorise une perception qui échappe aux cinq autres. Il est probablement plus commun qu'on ne l'imagine, comme un bruit de fond décelé uniquement quand son amplification ne permet plus de l'ignorer. Une autre analogie est la lecture sur les lèvres que nous effectuons sans même y prendre garde : ce n'est que lorsque j'enlève mes lunettes que je prends conscience de l'importance de cet apport supplémentaire d'informations.

Le contact divinatoire

C'est la technique qui, à travers un contact avec un objet ou son propriétaire, permet de visualiser ou percevoir des éléments de son histoire. C'est le plus pur moyen de s'instruire sur un site ancien ; mais il est subordonné à l'aptitude de l'observateur à démêler la provenance des informations.

La méthode consiste à laisser les premières impressions prendre forme. N'en éliminez aucune sous prétexte qu'elle semble absurde et n'ayez pas peur de vous tromper. Si vous accueillez avec sincérité et un esprit ouvert la première impression qui vous traverse l'esprit, vous constaterez bientôt que vous pouvez apporter de réelles informations et vous gagnerez confiance en vous-même.

Naturellement, aussi bien qu'à un objet particulier, le contact divinatoire peut être appliqué à tout un site : pour ce faire, arpentez-le, palpez-en les pierres ou tout autre élément, en laissant ce qui vous vient à l'esprit prendre forme.

S'ouvrir à ce sixième sens peut être risqué, en particulier sur les sites anciens qui ont une histoire longue et pratiquement inconnue. Cela ne doit être entrepris qu'avec précaution, non sans s'y être rigoureusement préparé. Cette approche est discutée dans le dixième chapitre.

L'archéologie parapsychique

La plus franche utilisation de la parapsychologie s'applique à la découverte de vestiges archéologiques, car leur authenticité peut toujours être vérifiée par la suite.

Cette méthode reçut beaucoup de publicité grâce à Frederick Bligh Bond, une autorité hautement respectée en matière d'architecture religieuse médiévale. En 1908, il fut désigné pour effectuer des fouilles sur les vestiges de l'abbaye de Glastonbury. Il recourut alors aux services d'un ami, le capitaine John Bartlett, qui lui communiqua des informations obtenues par l'écriture automatique : des messages de moines ayant vécu à Glastonbury et des plans de l'abbaye sur lesquels figurait, dans sa partie orientale, une vaste chapelle, jusqu'alors inconnue, consacrée au roi saxon Edgar.

Deux ans plus tard, Bligh Bond entreprit les fouilles et découvrit la chapelle d'Edgar, aux dimensions et à l'endroit prédits. Lorsque cette histoire fut publiée, Bond fut déchargé de ses responsabilités et eut, par la suite, beaucoup de difficultés à trouver les fonds nécessaires pour continuer les fouilles[9].

Dans la mesure où l'archéologie exige la décision de creuser en un point précis, elle est un bon exemple du recours possible à des dons parapsychiques.

D'ailleurs, les rapports officiels ne se privent pas d'y faire allusion quand ils suggèrent, par exemple, de « tester un site à l'aide d'une baguette » !

La quête parapsychique

Cette approche, qui a joué un grand rôle dans le domaine des mystères de la Terre, est délicate à définir. Sous sa forme la plus typique, elle consiste à se mettre psychiquement en phase avec des vies antérieures, des artefacts dissimulés dans l'environnement, des problèmes non résolus dans le passé. La méthode évoque toutes les caractéristiques du roman d'aventures et cependant, on ne peut l'écarter aussi facilement. Il semble que certains êtres des temps médiévaux ou plus lointains, conscients de l'importance de certains sites, aient, d'une façon qui échappe au moins partiellement à notre entendement, laissé des instructions et des indices qui peuvent être suivis par ceux qui sont capables de se « brancher sur leur longueur d'ondes ».

La radiesthésie

Si vous participez à une visite organisée par le mouvement Earth Mysteries, vous verrez probablement au moins une ou deux personnes arpenter le site baguette de coudrier ou pendule en main, peut-être même utiliser un procédé plus sophistiqué. Que font-elles ?

Elles recourent à leurs facultés parapsychiques en s'aidant d'un outil, exactement comme un botaniste s'aiderait d'une loupe. Leurs instruments agissent comme des amplificateurs, permettant de percevoir des réactions physiques ou mentales subtiles. Si élaboré que soit cet équipement, il ne fait qu'accroître l'aptitude — ou l'inaptitude — naturelle de l'individu.

Rien de plus : dans sa nature, la radiesthésie n'est pas plus objective que les méthodes plus spécifiquement considérées comme « parapsychiques », en particulier quand il s'agit de détecter des énergies telluriques plutôt que de l'eau et des objets concrets. Pennick et Devereux sont très clairs sur ce point : « La baguette du radiesthésiste est devenue un moyen autorisant l'acceptation d'idées subjectives comme s'il s'agissait de faits[95]. »

La radiesthésie et d'autres méthodes, y compris divers « détecteurs de laies » inventés par Jimmy Goddard[47], semblent être des moyens de mettre en perspective cette prise de conscience des ressources parapsychiques sous une forme maniable pour notre conscience rationnelle. La radiesthésie est tributaire de l'interaction entre la personne et le lieu en un moment donné. Le fait que différents radiesthésistes obtiennent des résultats très différents sur un même site s'explique sans doute par l'interaction entre leur propre champ énergétique et celui du site ; de sorte que le tableau proposé par un radiesthésiste n'a de sens que si l'on tient compte aussi du radiesthésiste lui-même : ses résultats en disent autant sur lui-même que sur l'objet de sa recherche.

La radiesthésie est une technique très ancienne. La traditionnelle baguette du sourcier était un rameau de coudrier fourchu et fraîchement coupé, dont chaque branche était tenue dans une main avec une certaine tension, de sorte que du moindre mouvement de la main pouvait résulter un large mouvement du rameau. Aujourd'hui, la plupart des sourciers utilisent des baguettes de métal, souvent fabriquées à partir de portemanteaux de fer, chaque rameau courbé à angle droit par rapport à la tige. Il est utile de prévenir tout accident en entourant les extrémités de ruban adhésif. Tenez chaque branche dans une main, les bras tendus droit devant vous. Ajustez l'angle en faisant jouer vos poignets de façon à ce que le plus léger mouvement provoque le croisement des branches.

Voilà le mécanisme : il ne vous reste plus qu'à l'utiliser. Concentrez votre esprit aussi précisément que possible sur ce que vous désirez trouver et commencez à marcher. Quand vous trouverez ce que vous cherchez, cette partie de vous-même qui en sait plus que votre esprit conscient enverra son message aux muscles de vos mains, provoquant une réaction de la baguette. C'est tout : tout l'art repose dans la précision de votre objectif.

Le pendule est fait d'un poids attaché au bout d'un fil ou d'une chaînette, généralement d'une quinzaine de centimètres. On l'utilise le plus souvent à l'intérieur, en tenant le bout de la chaîne, les muscles de la main provoquant l'oscillation ou la giration du pendule. Il peut ainsi être employé pour répondre à des questions par oui ou non. Une de ses utilisations les plus intéressantes est l'examen de cartes que l'on substitue au paysage. La technique est la même : d'une main, pointez vers tel ou tel endroit de la carte et détectez par le pendule tenu dans l'autre main.

Une bonne tournure d'esprit est primordiale avec cette méthode : ne vous souciez pas trop de la réponse que vous allez obtenir mais en même temps, ayez une idée précise de ce que vous cherchez. Sinon, vous vous rendez réceptif à un large spectre de fréquences et tout peut devenir très confus.

C'est là que réside la difficulté dans la recherche des énergies telluriques par radiesthésie. L'eau nous est à tous familière. Nos corps en sont majoritairement constitués et elle est un des éléments les plus faciles à détecter par la radiesthésie ; avec les minéraux et les objets perdus, on peut aussi se faire une idée assez nette de ce qu'on cherche et on peut prouver que le radiesthésiste a tort ou raison ; mais il en va différemment avec les énergies telluriques.

La plupart des radiesthésistes ont tenté de déterminer les courbes d'énergie des sites. Ils détectent des spirales, des cercles concentriques et des lignes droites ou sinueuses, toutes formes qui semblent varier dans le temps.

Dans le domaine des mystères de la Terre, le meilleur moyen d'utiliser la radiesthésie est peut-être de se donner un objet de recherche précis — par exemple un marqueur perdu ou un alignement. Dès qu'il s'agit de déceler un courant d'énergie, que ce soit sous forme de points, de lignes ou de spirales, on rencontre la difficulté de définir précisément l'objet de la recherche : le spectre des fréquences est simplement trop étendu. Cela ne signifie pas que les courants telluriques n'existent pas, mais le moins qu'on puisse dire est qu'il peut être difficile de les isoler dans la multitude des sources artificielles d'énergie et des structures idéelles de tous ceux qui ont visité ou traversé le site. Quoi qu'il en soit, traitez tous les résultats avec circonspection et ne leur accordez pas un crédit excessif.

La radiesthésie a été employée conjointement à d'autres méthodes dans la détection de laies, comme dans le cas du projet Pitch Hill organisé par la branche du Surrey d'Earth Mysteries : un axe fut repéré par radiesthésie ; reporté sur une carte, il s'avéra coïncider avec un alignement de sites, qui fut à son tour suivi et vérifié par un radiesthésiste. Même dans ces conditions, la possibilité est grande de détecter un large spectre d'effets de différentes natures.

Aucune explication de la radiesthésie n'est unanimement acceptée. Certains pensent que la réponse se trouve dans des émanations provenant des objets recherchés. Mais une chose est claire : cela *marche*. J'ai vu des ingénieurs du service des eaux localiser des canalisations principales avec une baguette de sourcier, vraisemblablement parce que cette méthode est plus fiable que les plans qui peuvent toujours comporter des erreurs, ou plus facile que le procédé par tâtonnements.

Enfin, pour conclure sur la radiesthésie et les méthodes intuitives d'exploration des sites anciens : le seul moyen est de les expérimenter par vous-mêmes. Comme je l'explique plus longuement dans le dixième chapitre, vos premières visites ne devraient avoir d'autre but que de découvrir le site et de vous familiariser avec lui. Laissez-le vous enseigner lui-même ce qu'il recèle et remettez-vous-en à vos premières impressions spontanées. Essayez la détection sans baguette — une baguette imaginaire est beaucoup moins encombrante, et cela marche aussi bien !

LE PROJET DRAGON

En dépit de ses limites et des difficultés qu'elle présente, la radiesthésie fut une des sources d'inspiration du projet Dragon, que j'ai mentionné brièvement à la fin du chapitre précédent.

En 1975, l'auteur Francis Hitching fut sollicité pour écrire un livre et un documentaire pour la télévision appelé *Earth Magic (Magie de la Terre)* [62]. Il entra en contact avec diverses personnes s'intéressant au sujet, moi-même y compris. Il prit également rendez-vous avec un vétéran de la radiesthésie, Bill Lewis, qui l'emmena voir, près de Crickhowell, la pierre de Llangynidr, un menhir haut de douze pieds (environ 4 m). Lewis y avait détecté une spirale d'énergie et constaté qu'elle variait dans le temps.

Il demanda à Hitching s'il était possible de détecter cette énergie par des moyens scientifiques. Hitching se mit en rapport avec John Taylor, un professeur de mathématiques de la faculté de King's College à Londres. Ce dernier pensa que Lewis réagissait sans doute à de légères variations du magnétisme. Il envoya donc le Dr Eduardo Balanovski, un jeune physicien argentin, mesurer la force du champ magnétique à l'aide d'un gaussmètre. Vérifiant la bande d'énergie que Lewis avait repérée sur la pierre, Balanovski enregistra des pulsations de son champ deux fois supérieures à celles des autres parties du menhir.

Ce type de contrôle constitue un progrès. À l'époque où Paul Devereux prit la direction du *Ley Hunter* en 1976, il était largement admis qu'une forme d'énergie se dégageait des sites anciens, mais aucune recherche n'avait été effectuée pour étudier cette thèse. En novembre 1977, intéressés par ce sujet, des individus issus de diverses formations et disciplines se réunirent pour envisager la possibilité d'établir un programme de recherches. Le groupe comprenait des physiciens, des spécialistes des matériaux, des radiesthésistes, des médiums, des ingénieurs en électricité, des psychologues, des artistes et des membres d'Earth Mysteries. Incidemment, il est intéressant de remarquer que cette réunion prit place cinq jours seulement après la découverte de la protoplanète Chiron qui, sur le plan astrologique, correspond à la collaboration de disciplines antérieurement distinctes et antagonistes. L'idée de départ était d'intégrer diverses approches, analytiques et intuitives. Les travaux se divisèrent naturellement en deux catégories : d'une part le contrôle physique des énergies connues, sous la direction du Dr Don Robbins, un spécialiste des matériaux et de la piézo-électricité dans la recherche archéologique ; et d'autre part, l'approche parapsychique, comprenant la radiesthésie et le contact divinatoire, coordonnés par l'archéologue et parapsychologue californien John Steele. Le programme reçut le nom de projet Dragon, allusion à la représentation chinoise des énergies telluriques. Ses objectifs, publiés en 1978, étaient les suivants : « Détecter par des moyens physiques et biologiques quantifiables les manifestations des "énergies de la Terre" sur les sites préhistoriques et établir le rapport entre ces manifestations et l'essence même de l'énergie tellurique et la manipulation possible de cette énergie au cours de la préhistoire[26] ».

En raison de moyens financiers limités, les efforts durent être concentrés sur un site spécifique : son emplacement devait être près de Londres, où vivait la majeure partie des intervenants, et compte tenu de la nature peu orthodoxe du projet, il était préférable de choisir un site privé. Le cromlech de Rollright, dans les Cotswolds, remplissait parfaitement ces conditions. C'était un cercle d'environ trente mètres de diamètre avec des pierres calcaires allant jusqu'à deux mètres de haut ; de plus, il se trouve à proximité du menhir de King Stone (Pierre du roi) et du dolmen des Whispering Knights (Chevaliers murmurants). Selon Grinsell, c'est l'un des lieux les plus chargés de folklore de tous les sites préhistoriques britanniques. Enfin, il n'est situé qu'à environ cent cinquante kilomètres de Londres et Pauline Flick, sa propriétaire, avait donné son autorisation pour la mise en œuvre du projet et l'utilisation de la chaumière bâtie sur les lieux.

Dès le début, les recherches furent handicapées par le manque de moyens. Il y avait peu d'argent pour acheter des équipements et il fallut négocier avec les universités pour réussir à emprunter de précieux appareils pendant les week-ends : les sites exigeaient une télésurveillance permanente pour que les fluctuations puissent y être enregistrées. Faute d'équipements et de bénévoles, cela s'avéra impossible pendant la première phase du programme ; mais on remédia en partie à cet état de choses ultérieurement avec l'opération Merlin, grâce à laquelle des efforts soutenus permirent des enregistrements vingt-quatre heures sur vingt-quatre pendant des périodes allant jusqu'à un mois.

Au début, nous n'avions pas d'idée arrêtée sur la façon de procéder à ces mesures physiques. Les grandes lignes d'investigation émergèrent d'elles-mêmes des données, accumulées au fil des années, sur les éventuels effets énergétiques sur les sites anciens. Les ultrasons, par exemple, furent suggérés par un zoologiste : alors qu'il cherchait simplement à repérer des chauves-souris avec un détecteur ultrasonique, un de ses collègues avait reçu de puissants signaux émanant d'un site ancien à proximité.

L'approche du projet Dragon était claire : nous avions *peut-être* affaire à une énergie encore inconnue, mais il était logique de commencer par le contrôle des

Le menhir de King Stone, dans le Warwickshire.
(Illustration de Guy Ragland Phillips.)

énergies *connues*. Leur comportement pouvait fournir des indices même si, par la suite, il s'avérait n'être qu'un effet secondaire d'une énergie d'essence plus fondamentale.

Tout un assortiment d'observations et de mesures physiques furent effectuées, dont je ne peux que résumer brièvement ci-dessous les caractéristiques et les conclusions qui en furent tirées.

Les ultrasons

L'appareil utilisé initialement fut un « détecteur de chauves-souris » transformé en récepteur à large bande de fréquences de 25 à 80 KHz.

En automne 1978, à l'aube, on enregistra des pulsations ultrasoniques à deux secondes d'intervalle au menhir de King Stone ; en décembre de la même année, on n'enregistra même pas à l'intérieur du cromlech le niveau de base normal détectable à l'extérieur. Cet « effet de champ zéro » ne s'est pas répété.

En février 1979, huit à dix minutes avant le lever du soleil à la nouvelle lune, et vingt-cinq à trente-cinq minutes avant le lever du soleil à la pleine lune, on enregistra une explosion de pulsations ultrasoniques. Cet effet se prolongea pendant et environ deux à trois heures après le lever du soleil. Il s'affaiblit au cours du printemps pour disparaître complètement en été. Aucune pulsation équivalente ne fut enregistrée sur les sites témoins.

En janvier 1987, on détecta un signal d'une fréquence de 37 KHz émanant d'une bande de trois pieds (environ 90 cm) de large à mi-hauteur de la plus haute pierre du cromlech. L'effet diminua une demi-heure après le lever du soleil et réapparut à midi.

À ce jour, on ne s'explique toujours pas le cycle des manifestations ultrasoniques enregistrées à Rollright.

La radioactivité

La radioactivité est un phénomène naturel. Elle émane aussi bien des roches constituant l'écorce terrestre, en particulier du granit, que des rayons cosmiques de l'espace. On peut la détecter par divers moyens, le plus connu étant le compteur Geiger. Nous disposions d'un modèle rudimentaire qui exigeait un comptage manuel des signaux perceptibles, dont nous faisions une moyenne pour obtenir le compte à la minute.

Rollright et de nombreux autres sites furent placés sous contrôle et pour l'instant, la conclusion générale est que la radioactivité y présente des anomalies qui fluctuent au fil du temps, et que seule une télésurveillance permanente et prolongée pourrait permettre d'établir les courbes de ces variations. Sur certains sites, le niveau de radioactivité est plus élevé que dans la région environnante ; mais en Cornouailles, le niveau de radiations des cromlechs a tendance à être inférieur à celui de leur environnement proche. Dans certains, comme celui des Merry Maidens (Joyeuses Damoiselles), des parties bien délimitées présentent un niveau radioactif supérieur à celui de l'environnement immédiat, alors que d'autres parties, également bien définies, présentent un niveau inférieur. Robins a constaté que le niveau de radioactivité y est divisé par deux lorsque les mesures sont effectuées dans la limite d'environ un mètre du cercle de pierres, le cercle se comportant apparemment comme une sorte de « bouclier »[101].

En 1983, le programme Gaia fut mis sur pieds en conjonction avec l'Association for the Scientific Study of Anomalous Phenomena (ASSAP, Association pour l'étude scientifique des phénomènes anomaux). De nombreux bénévoles se portèrent volontaires pour effectuer, par périodes de dix heures, des mesures des radiations au-dessus et aux environs des trente sites et points témoins. Sur les cromlechs, les mesures présentaient de bien plus grandes variations que sur les sites témoins, mais pour établir les courbes et les cycles de ces variations, il faudrait que des enregistrements permanents puissent être effectués sur de nombreux sites et sur de très longues périodes.

Le magnétisme

Bien que ses tentatives aient été handicapées par l'impossibilité d'obtenir les équipements nécessaires, les mesures effectuées par Balanovski au menhir de Llangynidr, au pays de Galles, nous donnèrent à penser que le magnétisme pouvait être un axe de recherche intéressant.

Une expérience ponctuelle prit place en 1981 avec un tube de solution salée contenant des crevettes, très sensibles aux variations de champ magnétique : elles ont semblé se rassembler à l'extrémité du tube la plus proche des pierres.

Puis en 1982, indépendamment du projet Dragon, Charles Brooker, un ingénieur de la BBC à la retraite, examina les pierres de Rollright. Il constata qu'à l'intérieur du cromlech, l'intensité du champ magnétique était plus faible qu'à l'extérieur. Il découvrit une spirale d'intensité magnétique : deux pierres de la partie ouest du cercle vibraient par cycles variant de quarante à soixante secondes[13].

Par la suite, le projet disposa d'un magnétomètre plus sophistiqué, avec lequel Rodney Hale, un ingénieur en électronique expérimenté, effectua d'autres examens. Ses conclusions préliminaires furent que le champ magnétique à l'intérieur du cercle de pierres fluctue par rapport à l'extérieur du cercle en l'espace de quelques heures.

93

La photographie

Une photographie par infrarouges de King Stone, prise au lever du soleil en avril 1979, montre un halo autour de la pierre et, s'en échappant, un « rayon » que les photographes sont incapables d'expliquer.

En janvier 1986, Paul Devereux photographia, sur le côté ouest du cromlech, une grande pierre dont le magnétisme avait présenté de brèves anomalies. Sur le cliché, une décharge s'échappe du sommet de la pierre.

Réception d'ondes radio

En général, un récepteur radio toutes fréquences fonctionne au mieux quand le récepteur est placé en hauteur, les signaux s'affaiblissant au fur et à mesure que l'antenne est rapprochée du sol. Cependant, en des points bien déterminés autour (mais non à l'intérieur) du cercle de Rollright, un autre signal pouvait être reçu presque au niveau du sol. L'analyse du signal démontra sa nature artificielle mais le phénomène est resté sans explication.

Conclusion

Il reste beaucoup à faire, mais il semble maintenant certain que sur le plan énergétique, les sites préhistoriques sont le lieu d'anomalies. Selon la remarque de Larkman :

> Cette information, essentielle pour la compréhension des motivations à l'époque préhistorique, élargit considérablement le champ des données disponibles sur les sites cérémoniels. Le moment est venu de les inclure dans une nouvelle synthèse qui doit aboutir à une autre perception de la préhistoire et de les appli-

quer de façon globale. L'archéologie convention-
nelle doit maintenant être considérée comme un des
aspects d'une étude équilibrée de la préhistoire et non
plus comme son élément dominant[71].

Ces toutes dernières années, le projet Dragon a été
étendu, dans toute la Grande-Bretagne, du cromlech de
Rollright à des douzaines d'autres sites, dont certains
tiennent lieu de références témoins. Cela dit, on n'a
jamais attendu de ce projet, malheureusement caracté-
risé par une déficience de moyens, qu'il produise des
résultats détaillés mais, plutôt, qu'il repère les secteurs
qui justifieraient des études plus approfondies.

En 1987, un fonds (Dragon Project Trust) a été
constitué pour poursuivre les travaux et étudier si
et comment la conscience est affectée sur les sites
où des anomalies géophysiques spécifiques ont été
constatées. Des informations sur ce fonds figurent à la
page 196.

6

Réagir à la Terre

L'expression « mystères de la Terre » englobe non seulement les sites anciens, mais également les personnes qui les ont visités et à la vie desquelles ils ont ajouté une dimension. Nous faisons partie de l'ensemble du sujet : notre relation avec les sites et avec la planète Terre est primordiale : les réactions à la Terre sont infiniment variées et l'examen des différentes façons de réagir aux énergies naturelles qui se manifestent sur les sites anciens est central.

Paul Devereux visualise tout le domaine des mystères de la Terre sous la forme d'un arbre. Le sommet de l'arbre correspond à nos moyens d'appréhender tels que l'archéologie, la divination, la radiesthésie et les réactions d'ordre esthétique. En dessous, la frondaison intègre des domaines d'intérêt majeurs tels que la géomancie, que nous discuterons dans le chapitre suivant. Le haut du fût d'où partent les branches incarne un seul thème — les « énergies ». Le tronc représente le site lui-même et les racines de l'arbre la Terre vivante en dessous de lui[28].

De maintes façons, le sommet de l'arbre est l'équivalent d'une structure appelée « spectre de réaction », que j'ai décrite en 1985[72]. Il reflète le degré d'interaction entre l'observateur et les énergies et je l'ai divisé en six bandes : appréhension intuitive, harmonisation, rituel, interaction, manipulation et domination. Naturellement, ces aspects débordent et se fondent les uns dans les autres, mais ils couvrent toute la gamme qui va de l'individu qui appréhende intuitivement et prend conscience des énergies en visitant un site ancien, à ceux qui, à l'autre extrémité, tentent de contrôler les énergies de la Terre à leurs propres fins.

Plus nous avançons sur ce spectre, plus nous avons besoin de savoir et de sagesse pour être capables d'en gérer les conséquences. En fait, il s'agit de savoir dans quelle partie du spectre nous nous sentons le plus heureux, et dans quelle mesure nous nous percevons comme partie intégrante de la nature, ou en conflit avec elle. La société contemporaine tend vers l'extrémité du spectre, considérant qu'elle doit « contrôler » la nature sous tous ses aspects.

Le spectre de réaction propose une façon utile d'examiner la réaction à la Terre par l'intermédiaire des structures physiques qui ont perduré et un moyen d'interpréter les légendes. C'est également un cadre dans lequel nous pouvons situer notre rapport à la nature.

APPRÉHENSION INTUITIVE DIRECTE

Comme toutes les autres facultés, le sixième sens est d'autant plus développé qu'on fait plus appel à lui et que l'individu vit dans un milieu favorable à son emploi. Les peuples comme les aborigènes d'Australie, qui ont encore un mode de vie très ancien, sont profondément et naturellement des intuitifs et il est pour le moins raisonnable de supposer que les peuples anciens présentaient les mêmes aptitudes, et qu'ils percevaient les énergies telluriques comme des éléments naturels de leur environnement. Brian Larkman a montré que, correctement traduites, certaines écritures paléolithiques se prêtent à ce type de lecture. À l'appui de cette thèse, il cite la tribu Walbiri du centre ouest de l'Australie. Ses membres reconnaissent deux états de l'être : *yidjaru,* qui se rapporte au monde matériel, et *djugurba,* équivalent au monde non matériel. Pour eux, le paysage a été modelé par des « rêves », qui ont pénétré le monde matériel par ce qu'ils appellent des « points d'eau » — qui pourraient ou non correspondre effectivement à des points d'eau réels. Les rêves suivent un chemin déterminé en altérant la topographie, laissant leur puissance virtuelle ou *guruwari* sur leur passage en des endroits spécifiques, avant de regagner le monde non matériel par le point où ils l'avaient pénétré. Larkman écrit :

> Il me semble qu'ils décrivent directement un univers fait de matériaux physiques pareils à ceux qu'on peut voir et toucher, avec une force vitale non matérielle invisible (pour la plupart d'entre nous) pareille à l'éther, qui l'imprègne et s'y superpose[69].

La façon dont les énergies telluriques sont ressenties semble varier en fonction des impératifs culturels des différentes sociétés, de sorte que l'énergie pure est interprétée sur le mode acceptable par l'individu et la culture dominante. C'est probablement le cas pour les visions de la Vierge Marie, à la suite desquelles se produit une identification avec la vision initiale, fréquemment reçue par des enfants dans la nature, près de fontaines ou de cours d'eau. À La Salette, les enfants virent une brillante lumière près d'un ruisseau, puis une dame apparut et disparut. À Lourdes, Bernadette Soubirous vit ce qu'elle décrivit comme « cette chose », qu'on pensa être le fantôme d'une jeune fille de la région[24].

Dans le contexte des phénomènes lumineux, Paul Devereux suggère que l'observateur pourrait réellement avoir un effet sur la façon dont l'énergie se manifeste. L'intensité et le caractère des énergies telluriques semblent également fluctuer avec le moment de la journée, du mois et de l'année. La combinaison de ces facteurs avec la sensibilité et l'état psychique du témoin ouvre tout un assortiment de possibilités.

La perception directe par des médiums des manifestations de l'énergie dans la nature est une très ancienne histoire, indissociable du folklore, du mythe et de la légende. De nos jours, de nombreuses personnes affirment avoir vu des fées. Le théosophiste Geoffrey Hodson donne des descriptions détaillées d'entités élémentales observées en divers sites naturels [63]. Les célèbres photographies des Cottingley Fairies (fées de Cottingley) prises en 1917 ne sont pas considérées comme authentiques, mais selon les recherches de l'auteur Joe Cooper, il est clair que Frances Griffith, l'une des jeunes filles qui y figurent, vit des fées à Cottingley Glen, comme ce fut le cas pour Geoffrey Hodson [18]. Ogilvie Crombie, surnommé « Roc », acquit également cette aptitude, peut-être pour avoir vécu pendant dix ans seul dans la forêt. Il pouvait entrer en contact avec des esprits de la nature, y compris avec une entité identifiée comme le grand dieu Pan [39]. Il était étroitement associé avec la communauté de Findhorn, en Écosse, où Dorothy Maclean et, par la suite, plusieurs autres réussirent à entrer en contact avec les « devas » — êtres d'un niveau supérieur incarnant l'essence d'une espèce ou, dans certains cas, d'un lieu particuliers [78]. Ces contacts furent souvent une source de conseils. Ceci nous rapproche du concept de champ morphogénétique de Sheldrake et des idées de Lethbridge sur l'origine des nymphes des éléments.

HARMONISATION, INSPIRATION
ET EXPRESSION ARTISTIQUE

L'harmonisation signifie ici plus que la seule perception des énergies de la Terre et implique une réaction — souvent appelée inspiration ou expression artistique. Mais tout d'abord, comment faisons-nous l'expérience du paysage ? Appleton considère la possibilité de voir sans être vu comme le facteur premier[2]. Ce pourrait être aussi notre aptitude à réagir aux énergies dans la nature, comme les Chinois l'expriment dans le concept du *ch'i* (chapitre 4). L'attirance d'un être pour un paysage serait donc le résultat d'énergies — quelle que soit leur définition — parcourant à la fois l'individu et le paysage[58,59].

Pour que les énergies telluriques soient une source d'inspiration, l'individu doit se trouver en un point et à un moment où ces énergies se manifestent puissamment ; il doit également leur permettre de circuler librement à travers lui. Nous entrons plus facilement en phase avec ces énergies en certains lieux où, par exemple, il nous est effectivement plus aisé de méditer. L'atmosphère favorise donc la perception ou, en termes poétiques, elle rend plus transparent le voile entre notre univers et l'au-delà.

Le paysage et les sites sacrés qui s'y trouvent peuvent être à la fois une inspiration artistique et la scène sur laquelle l'expression artistique prend forme. Dans ce sens, les peuples anciens étaient des artistes parce que la totalité de leur vie se déroulait en accord avec la Terre ; mais étaient-ils des artistes dans le sens plus conventionnel qui nous est familier ?

Sans aucun doute, certaines de leurs œuvres qui ont survécu, comme les peintures des cavernes, fournissent des indices de leur manière de penser. En Grande-Bretagne, cet art était très répandu et montrait fréquemment des motifs en coupe et anneaux : ils sont généralement composés d'un creux central ou coupe, entouré d'un ou de plusieurs anneaux concentriques ou de spirales. On trouve parfois des figures plus élaborées, telles que l'arbre de vie près d'Otley dans le Yorkshire. Ces marques sont le plus souvent gravées sur des affleurements rocheux à la limite des landes du nord, et particulièrement en Écosse, dans les régions de Galloway, Clyde et Argyll, dans le Northumberland et les landes de Rombalds du Yorkshire. Bien que la plus grande concentration semble se trouver en Grande-Bretagne (peut-être simplement parce que plus de fouilles y ont été effectuées), ce type de dessin se retrouve dans le monde entier.

Toutes sortes d'explications ont été proposées, mais la similitude entre de nombreux motifs coupe et anneaux et des phénomènes aussi divers que les lignes découvertes par des radiesthésistes et les symboles utilisés pour décrire des lieux sacrés en Australie et autres parties du monde suggère puissamment qu'ils représentent des aspects d'une réalité non matérielle que les peuples anciens étaient aptes à percevoir. Brian Larkman a spéculé sur leur signification :

La seule gravure de la pierre peut, par elle-même, provoquer une charge électrique perceptible par un *sensible* à cette énergie. Une telle idée stimule l'imagination : une pierre qui luit et étincelle tandis qu'on grave des courbes dans sa matière ; des cercles, des coupes et des lignes qui ne symbolisent pas seulement quelque lieu sacré, mais qui palpitent de la vie de la Terre dont l'esprit danse à la surface du matériau. C'est précisément un tel esprit qu'on invoquerait pour stimuler la fertilité de la terre et assurer la richesse et l'abondance de plantes et d'animaux dont dépendait l'existence de ces peuples. Comment

101

mieux libérer cet esprit qu'en gravant rituellement ce motif sacré chaque année, avant que les inspirations nées des cérémonials précédents ne commencent à s'éteindre [72] ?

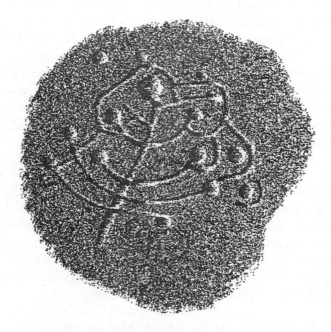

L'Arbre de Vie, à Snowden Carr, Yorkshire.
(Illustration de Brian Larkman.)

Bien que les formes de l'inspiration varient, l'individu doit s'accorder à « l'atmosphère » du lieu afin que ce dernier encourage les facultés artistiques et créatrices à réagir et à générer une création plus profonde, meilleure et plus prolifique.

De nombreux artistes, poètes et compositeurs tirent leur inspiration du paysage naturel et éprouvent le besoin d'explorer des sites. Leurs œuvres en sont parfois nettement le reflet ; parfois, le rapport est moins direct. Le compositeur Edward Elgar, par exemple, avait besoin des chemins solitaires de la campagne de Malvern Hills et racontait souvent qu'il entendait des chants et des sons que les autres ne percevaient pas. « Je pense que la musique est dans l'air, tout autour de moi : je n'ai qu'à prendre ce dont j'ai besoin », disait-il.

Cette immersion dans l'environnement naturel est la technique que Ian Taylor, poète et chercheur du groupe Earth Mysteries, a utilisée avant d'écrire son livre *The All Saints' Ley Hunt*[109] : il a arpenté chaque laie jusqu'à ce que le paysage commence à lui parler.

Paul Devereux[24] a attiré notre attention sur le mystique irlandais George William Russell, qui écrivait sous le pseudonyme AE. Il percevait l'esprit de la Terre et semblait capable de se mettre délibérément en phase avec ce qu'il appelait les « souvenirs de la Terre » et la « mémoire de la nature ». Dans certains états de conscience, il appréhendait dans le paysage des dimensions plus subtiles et écrivit :

> Ces souvenirs de la Terre viennent à nous de différentes façons. Quand nous sommes passifs, et que l'éther, gardien de ces images, n'est pas troublé par la pensée, il est transparent comme le verre ou l'eau paisible. Alors, souvent, à sa surface, apparaît une luminosité de couleurs et de formes, et cela pourrait être une réflexion de quelque souvenir de la Terre lié au lieu où nous sommes ou peut-être avons-nous une vision directe de ce souvenir[102]...

Le paysage est lui-même inspiration et champ d'action pour certains artistes. Richard Long est un des plus connus. De façon caractéristique, son travail consiste en différentes activités dans la campagne, qui sont alors enregistrées par une photographie ou sur une carte. Par exemple, il a créé, en marchant à travers Exmoor, une piste en ligne droite, visible dans l'herbe, d'une longueur de dix miles (environ 16 km), arpenté toutes les routes et pistes dans un rayon de six miles (presque 10 km) du géant de Cerne Abbas, marché de Stonehenge à Glastonbury le jour du solstice d'été et construit dans la campagne des cairns, des cercles de pierre et des labyrinthes sur des sites spécifiques [44]. Il n'a jamais admis qu'une conscience des mystères de la Terre était la source d'inspiration de son travail ; mais le parcours de lignes droites rappelle puissamment les laies, de même que la tâche des moniteurs du projet Gaia, censés relever régulièrement des mesures sur les lignes droites partant de sites anciens.

Le travail d'Andy Goldsworthy doit aussi être mentionné. Il utilise des matériaux de l'environnement naturel et les arrange dans le but d'attirer l'attention sur leur signification : il crée avec des feuilles mortes un motif qui met en valeur la diversité de leurs nuances. Ses photographies de ces compositions fixent dans le temps un processus de changement.

La photographie joue un rôle primordial dans le domaine d'Earth Mysteries, en raison du statut de lauréat de la Royal Photographic Society de Watkins. Cette affinité pour sa région natale se dégage avec force de ses photographies, le sujet, son objet et son appareil photo se trouvant unis dans une harmonie créatrice. Watkins pensait que les photographies les mieux composées étaient prises « au fil des laies ». De façon souvent très subtile, les photographies parlent du rapport que le photographe entretient avec le paysage et de la manière dont il le perçoit. À travers cette relation est donc enregistrée également la force vitale présente sur un site donné.

104

Des artistes comme Jill Smith et Bruce Lacey ont mis en œuvre l'idée de performances sur des sites sacrés, à la fois en tant qu'expression artistique et forme de rituel à travers lequel l'artiste peut recevoir une intuition inspirée sur les motivations à l'origine des sites sacrés[68].

Bob Trubshaw pose la question : « La visite d'un site ancien constitue-t-elle une performance artistique[113] ? » Utiliser le paysage lui-même comme scène ou toile de fond pour une expression artistique nous conduit aux ultimes frontières de l'art, jusqu'à ce qu'en les traversant, nous réalisions que la vie tout entière est, ou devrait être, de l'art.

RITUEL

Dans son principe, le rituel est très simple. Dans le contexte des sites anciens, il suppose une prise de conscience de la nature particulière du lieu et une action, si modeste soit-elle, qui exprime la récognition de cette qualité. Guy Ragland Phillips donne cet exemple :

> Annabel, la fille d'un ami, est venue de l'autre bout du pays nous rendre une petite visite. Nous l'avons emmenée voir les Three Howes, des tumulus préhistoriques en haut de la lande. De la route, elle suivit la piste seule. Quelques instants plus tard, assis dans la voiture, nous l'avons vue un moment debout sur le premier tumulus, bras tendus vers le ciel, puis sur les deux autres tumulus, immobile, les bras toujours tendus. Elle priait[98].

Le rituel peut donc être un geste individuel et spontané, mais société et tradition sont également des facteurs importants. Le folklore donne à penser que des danses prenaient place dans les cromlechs lors de fêtes saisonnières. La signification des sites anciens tient dans une large mesure à leur utilisation à des fins rituelles, comme en témoigne la survivance de certaines traditions. Des rituels de sorcellerie continuent à être exécutés en des lieux particuliers de la campagne ; et il semble naturel que les humains éprouvent le besoin d'exprimer leur rapport à la Terre de façon rituelle en des lieux qu'ils savent chargés de son énergie.

Le « climat du lieu » n'est cependant qu'un terme de l'équation : l'autre est constitué par l'état d'esprit qu'y apporte le visiteur. C'est là que le rituel peut intervenir en facilitant la mise en phase des énergies. Par exemple, les sorcières exécutent une série de rites dans le but d'atteindre ce résultat, y compris par la création du « cercle magique » destiné à prévenir la dissipation des énergies.

Un rituel, qui peut inclure la danse, des plantes psychotropes ou autres moyens ou techniques, peut être utilisé pour atteindre des états modifiés de la conscience ou des buts spécifiques tels que la guérison. Alan Bleakley parle de rituels très productifs, comportant un travail sur des images archétypales, qui ont été exécutés en divers cromlechs de Cornouailles, et où la possibilité d'entrer en phase avec l'esprit du lieu a considérablement aidé certains individus[8].

TRAJETS RITUELS ET SITES SACRÉS

La forme et la position des cercles de pierres, des bouquets d'arbres et des fontaines parlent puissamment en faveur d'une approche rituelle le long d'une piste ancestrale, comme si parcourir un tel trajet, comme tant d'autres l'ont parcouru auparavant, encourageait les énergies à se manifester. Il peut correspondre à une laie ou, peut-être, à quelque chose d'une nature plus subtile, que Michell évoque ainsi :

> Les chemins entre ces lieux... sont les chemins de l'esprit de la Terre ; non pas seulement des routes séculaires, mais des canaux naturels de l'énergie, tracés à l'origine par les dieux créateurs, suivis par les tribus nomades primitives et encore empruntés, après leur sédentarisation, par des processions religieuses ou des pèlerinages vers des sites sacrés. Traditionnellement, ces routes sont aussi des chemins de l'activité parapsychique, des apparitions, des esprits des morts et des fées, en particulier en un jour donné. Dans la campagne irlandaise, les gens identifient certaines trajectoires, non inscrites dans le sol, comme sentiers des fées, comme canaux d'un flux saisonnier de l'esprit, qui ne doivent sous aucun prétexte être obstrués et sur lesquels il est hors de question de construire[83].

Certaines voies avaient aussi une fonction initiatrice. La coutume consistant à parcourir avec les enfants les limites d'une paroisse en frappant le sol en des points précis, afin que les plus jeunes en gardent le souvenir, est un lointain rappel de cette fonction. À l'époque où la plupart des gens ne savaient pas lire, le savoir se transmettait oralement, souvent dans la campagne, au fil des chemins, certaines vérités étant révélées en des lieux bien déterminés auxquels elles conféraient une signification particulière. Arpenter les chemins devenait ainsi un acte rituel, comparable à ce que les bouddhistes appelleraient une « méditation déambulatoire », et les chemins eux-mêmes reflétaient cette importance. Percevoir la fonction rituelle des laies pourrait nous en permettre une compréhension plus approfondie[120].

Représentez-vous, serpentant à travers les pentes d'une colline, une piste qui peut n'être qu'un sentier emprunté par des chèvres ou une très ancienne draille. Depuis l'aube des temps, chaque personne ou animal qui suit cette piste semble laisser une trace d'énergie, et ces traces s'ajoutent au fil des ans. Ici et là, l'énergie s'intensifie le long du chemin en des points où les animaux s'arrêtent pour se reposer ou mettre bas, les humains pour un moment de contemplation, contribuant chaque fois à l'accumulation de l'énergie, jusqu'à ce que, finalement, elle soit perçue de façon plus consciente. On marque alors l'endroit d'une pierre levée ou on y plante un arbre ; des générations plus tard, on y érige une croix, une église, une auberge ou même un village ; peut-être l'énergie subtile dont le lieu est chargé favorisera-t-elle la poussée de l'arbre, la croissance d'une haie. C'est de cette sanctification des lieux par le temps que naissent les sites sacrés, résultante de l'interaction entre les êtres et la nature : l'accord instinctif avec les énergies telluriques accroît la signification des lieux.

COUTUMES ET RITES SAISONNIERS

Depuis des temps immémoriaux, certaines dates conservent une signification particulière en dépit des tentatives pour éradiquer des coutumes païennes, qui restent populaires dans diverses parties de la Grande-Bretagne.

À Padstow, en Cornouailles, « 'Obby' Oss » est une tradition encore observée le premier mai. De nombreux villageois y participent, dans leur village décoré de fleurs et de branchages. Les festivités commencent la veille au soir, le rythme hypnotique du tambour et les chants traditionnels faisant incontestablement et puissamment leur effet. L'*'obby'oss* même est une énorme « jupe » noire circulaire avec une tête au bec pointu, qui tourbillonne, portée par une équipe de danseurs[52].

Le village de West Witton dans le Yorkshire tient la cérémonie du « Burning of Bartle » (autodafé de Bartle) le samedi le plus proche du 24 août, jour de la Saint-Barthélémy, saint patron de l'église locale. Après la tombée du jour, on parade avant d'y mettre le feu une effigie de Bartle, censé être un voleur de moutons du Moyen-Âge bien qu'il s'agisse certainement d'une figure beaucoup plus ancienne[110].

De nombreuses traditions païennes de ce type continuent à être honorées ou même remises en pratique. Elles sont la face visible de la survivance secrète de croyances et de pratiques anciennes liées au pouvoir du paysage naturel.

TRADITIONS SECRÈTES

Les envahisseurs importent leurs propres religions et leurs pratiques et en Grande-Bretagne, de vieilles traditions durent devenir secrètes. La connaissance ancestrale de l'existence, de la signification et du pouvoir de certains lieux fut préservée en secret parce qu'elle n'aurait pas été acceptée par l'Église et la société chrétienne en général.

Cette tradition secrète est constituée de nombreux éléments, la sorcellerie étant l'un des plus directs et des plus frappants. Bien que dans la plupart des cas, on ne puisse retracer l'histoire des cercles de sorciers ou sorcières contemporains plus loin que le renouveau initié par Gerald Gardner et la révocation des *Witchcraft Acts* dans les années 1950, il existe encore des cénacles traditionnels dont l'origine est beaucoup plus ancienne. Les croyances et pratiques de sorcellerie, mettant l'accent sur les cycles et les aspects cachés de la nature, la signification particulière des lieux et la génération, à partir de l'énergie du corps humain, par des moyens tels que la danse, du « cône de pouvoir » à l'intérieur d'un cercle magique, s'accordent parfaitement avec les observations effectuées par Earth Mysteries.

D'autres traditions ont également perpétué des savoirs anciens. Plus que les peuples sédentaires, les gitans et autres peuples nomades conservent une conscience instinctive de la signification des sites et du flux des énergies subtiles au fil des saisons. Il est tentant d'imaginer un échange d'information et d'assistance entre les gitans et les sorciers, les deux groupes ayant, à diverses époques, été victimes de graves persécutions.

À l'intérieur même de la chrétienté, des tendances représentées par les templiers, les cathares et les rose-croix ont toujours conservé la conscience de vieux secrets. Des écrivains comme Paul Screeton et Andrew Collins ont spéculé sur l'existence possible d'un « clergé interne » permettant à certaines confessions d'affecter des prêtres spécialement choisis à des églises situées sur des lieux particulièrement sacrés. Plus récemment, les francs-maçons et divers ordres occultes ont préservé certaines traditions.

Que des croyances et des pratiques païennes aient survécu à des siècles de persécution témoigne de la qualité fondamentale de leur nature ; et l'environnement modelé par ces croyances a, au moins en partie, également survécu.

7

Géomancie
et création de la forme

Les pratiques instinctives, artistiques et rituelles ne sont pas les seules réactions possibles aux énergies telluriques. La géomancie en est une autre, qui peut affecter la qualité de l'environnement physique et, par conséquent, l'être intérieur.

L'approche du mystique et celle du magicien sont profondément différentes. Le mystique cherche à faire l'expérience de l'unité de l'existence à travers des pratiques et des environnements divers : dans leur essence, les approches examinées dans le chapitre précédent sont des exemples de la voie mystique qui se révèle dans le paysage naturel. Le magicien, au contraire, s'efforce de comprendre les énergies de l'univers et de les mettre en œuvre dans le but ultime d'opérer des changements en lui-même, mais en tenant compte de l'environnement sous tous ses aspects. Cette distinction entre mystique et magicien est utile, à condition de ne pas perdre de vue que cette division entre deux archétypes n'est pas étanche et qu'ils peuvent se combiner.

Ce chapitre examine la géomancie et les autres moyens par lesquels les peuples ont modifié leur environnement afin d'opérer des changements en eux-mêmes.

LA GÉOMÉTRIE SACRÉE

La géométrie sacrée est un aspect majeur de la géomancie. Dès que les hommes ont commencé à élaborer des formes et des structures artificielles, elle s'est constituée comme modèle, conscient ou inconscient, à la base de toute construction particulière. Son appellation est quelque peu trompeuse car il est probable que dans les temps anciens, la division artificielle entre profane et sacré n'avait pas de sens : la vie dans son ensemble était sacrée, de même que toutes les créations, artistiques ou autres.

La création de la structure avait un but : le principe occulte : « Ce qui est en bas est comme ce qui est en haut », selon lequel le macrocosme est reproduit dans le microcosme, c'est-à-dire que l'immensité de la nature et de l'univers est ramenée à une échelle qui nous la rend accessible.

La forme génère une « atmosphère » et une des fonctions principales des structures artificielles est de créer un environnement favorisant des modifications de la conscience.

Leurs formes de base sont nées d'une conscience de la manière dont les principes de forme, proportion, nombre, mesure et rapport interviennent dans la nature : les lignes droites sont visibles dans les ombres, les rayons du soleil ou de la lune ou leur réflexion dans l'eau, la tige des hautes herbes, les strates rocheuses, les chutes d'eau. Le soleil, la lune, le halo qui les entoure, l'arc-en-ciel proposent l'image du cercle. Les cristaux révèlent des structures plus complexes et on peut déceler des rapports de grandeur précis dans la disposition des feuilles et des branches, dans les spirales des jeunes pousses.

La forme

La géométrie sacrée tient compte de l'effet de la forme sur la fonction. Toutes les formes fondamentales ont été utilisées — la ligne droite, le cercle, le triangle et le carré présents dans les laies, les cromlechs et les structures élaborées des églises médiévales — de même que des formes ayant une signification symbolique comme l'étoile à cinq branches, à six branches et les plans en forme de 8.

Les proportions

Toutes sortes de proportions existent dans la nature, tels que les rapports entre les cycles diurnes, mensuels et annuels. Le nombre d'or et la série Fibonacci sont parmi les plus intéressantes. Le nombre d'or correspond à la division d'une ligne de telle sorte qu'entre la plus petite et la plus grande de ses parties, la proportion est la même qu'entre la plus grande et la totalité de la ligne. Cette proportion est approximativement de 1 : 1,618 et, au fil des siècles, les artistes l'ont reconnue comme exemplairement harmonieuse. Elle correspond également au rapport entre les côtés d'un pentagone dessiné entre les pointes d'une étoile à cinq branches et les côtés de ce pentagramme. Dans la série de Fibonacci, chaque nombre, à partir du troisième, est le total des deux précédents — 1, 1, 2, 3, 5, 8, 13, 21, 34, etc. Elle s'avère sous-tendre de nombreuses formes naturelles, de celle des cornes à celles des coussinets sous les pattes des chats.

La notion de proportion est au cœur de notre sens esthétique et proche des principes vitaux qui contrôlent la croissance des plantes. C'est pour ces deux raisons que les structures artificielles reposent sur ces proportions et probablement, de surcroît, en raison de leurs effets sur les sons et les énergies subtiles.

Les nombres

Les principes numériques sont également au cœur de l'univers. La nature et la notion d'unicité, du deux, du trois, etc., sont sous-jacentes à toute existence. L'utilisation des aspects planétaires par les astrologues d'une part, et la théorie et les techniques d'astrologie harmonique dont John Addey[1] fut le pionnier d'autre part, reflètent sans doute la meilleure compréhension de ces principes.

Nous avons déjà souligné que certains nombres, en particulier trois, sept et neuf, sont souvent associés par le folklore aux sites préhistoriques. Certaines sociétés, telles que des régimes à caractère militaire ou des cultures très centralisées, reposent sur une division de la terre par rapport aux points cardinaux et une subdivision par moitié, aboutissant à un partage en quatre et en huit. En astrologie, les séries par deux (2, 4, 8, etc.) des aspects planétaires sont liées à notre rapport au monde extérieur, alors que les séries par trois (3, 9, etc.) concernent davantage l'harmonie intérieure. Ces nombres peuvent fournir des indices sur la signification cachée de l'utilisation des nombres dans la géométrie sacrée.

Les mesures

En analysant les distances dans les cromlechs, l'arpenteur Alexander Thom a découvert une unité de mesure d'environ 2,72 pieds (soit 82,90 cm), qu'il a appelée le « yard mégalithique » (yard standard : 91,44 cm)[111]. Les vieilles mesures traditionnelles étaient basées sur différentes parties du corps selon un rapport en nombres significatifs, tels que trois et douze.

L'UTILISATION DE LA GÉOMANCIE

Les peuples anciens étaient très conscients de la manière dont les principes de la géométrie sacrée reflétaient la nature. En créant des formes artificielles, ils ne s'assuraient pas seulement que le site choisi était bien approprié : ils veillaient aussi à ce que tous les éléments de la conception — forme, taille et proportions — respectent la nature plutôt que d'aller à son encontre. C'est parce que ces principes ont été perdus de vue que l'architecture moderne suscite la critique : elle n'exprime plus aucun lien avec la nature ni aucun respect pour elle.

Les aptitudes nécessaires à la mise en œuvre de cette conscience dans la création de formes artificielles sont celles du « géomancien » — une combinaison du chaman, du géographe, de l'urbaniste, du sculpteur, de l'architecte, de l'artiste et du jardinier paysagiste.

La géomancie, la géométrie sacrée et la magie visent toutes trois des effets à la fois sur l'individu et sur le monde extérieur en collaborant avec les énergies de l'univers ; ce qui est comparable à la technologie, qui a pour but de faire que les choses se produisent plutôt que de découvrir pourquoi elles se produisent.

Mais il ne s'agit pas d'une technologie ordinaire : elle met en jeu des énergies subtiles qui parcourent toute la planète suivant leurs propres règles et leurs propres cycles. Tony Wedd a inventé le mot « allotechnologie » pour signifier qu'elle diffère, dans sa nature et ses principes élémentaires de fonctionnement, des technologies qui dominent notre société. [125] Il a accumulé toutes sortes d'observations, enregistrées à l'aide de toutes sortes d'appareils, et des informations de toutes sortes de provenances, y compris des contacts présumés avec des êtres hors de notre planète. Il en a dégagé certains principes de base, qui comprennent l'utilisation de la « libre énergie », sans éléments mobiles, et l'importance de la forme, du nombre et des matériaux pour un bon fonctionnement. Si une personne fabrique elle-même un appareil, il fonctionnera au mieux pour elle parce qu'il a été imprégné de ses propres vibrations. Ceci évoque les vieilles traditions associées à la fabrication d'outils magiques. Les données disponibles semblent indiquer que les peuples anciens recouraient à une technologie de ce type pour transformer les énergies de la Terre [50].

CERCLES MAGIQUES

Le cercle est une des formes les plus fondamentales dans la nature, comme en témoignent le soleil, la lune, le halo qui les entoure et l'arc-en-ciel. Elle est également une des plus faciles à construire.

Les sorcières et autres magiciens naturels et cérémoniels utilisent encore le cercle magique. Il peut être décrit au sol, mais le cercle véritable est celui que le magicien crée mentalement. En réalité, c'est une section transversale de sphère. Sa fonction est double : assurer une protection contre les influences extérieures et maintenir à l'intérieur le pouvoir engendré par les pratiques magiques.

Nous ne pouvons savoir si les peuples anciens créaient des cercles magiques puisqu'ils sont éphémères par nature. Mais les plus évidents vestiges, à savoir les cromlechs, affectent cette forme circulaire et il est permis de supposer qu'ils ont rempli un rôle similaire. La construction de ces cercles représente un effort considérable. De toute évidence, leur importance était primordiale et on peut en déduire que leur fonction l'était également.

Nous disposons de quelques indices — les traditions folkloriques de danses exécutées à des dates et moments spécifiques de l'année, l'importance de la nature des pierres employées, certaines par exemple étant du quartz pur. Les cromlechs étaient construits méticuleusement, parfois parfaitement circulaires, parfois de forme ovoïde. Ils comportaient sans doute des alignements à fonction astronomique. Le site choisi offrait souvent une belle vue sur les sommets des collines environnantes. Les conclusions du projet Dragon suggèrent que dans certains cas, les cercles de pierres levées agissent comme des boucliers de protection par rapport aux énergies de l'extérieur.

En fonction de ce que nous savons des pratiques modernes de sorcellerie, nous pouvons supposer que des danses étaient exécutées à l'intérieur des cromlechs. Elles avaient pour but de générer le pouvoir (pareil au « cône de pouvoir » des sorciers d'aujourd'hui), accumulé ensuite dans les pierres pour être utilisé en cas de besoin ; ce qui expliquerait l'effort énorme consenti pour déplacer ces pierres sur de longues distances : elles avaient des propriétés et des fonctions particulières.

Une tradition survit dans certaines tribus amérindiennes. Il existe des points communs entre nos cromlechs européens et leurs *medecine wheels* (roues magiques). On en connaît au moins cinquante, du Colorado au Canada, qui peuvent mesurer jusqu'à soixante mètres de diamètre et sont principalement constituées de pierres, avec une ceinture et des rayons partant d'un cairn central. Dans le Wyoming, par exemple, le cairn central du Big Horn Medecine Wheel mesure quatre mètres de diamètre ; vingt-huit lignes de pierres en rayonnent vers l'extérieur. Sur le pourtour sont disposés cinq autres petits cairns, dont on a constaté qu'ils correspondent à des axes astronomiques. Quant aux vingt-huit rayons, ils évoquent le cycle lunaire.

ARCHÉO-ASTROLOGIE

En l'absence de lumières artificielles, avec un ciel et une atmosphère indemnes de pollution et une conscience naturellement aiguë de l'unité de leur environnement, les peuples anciens attachaient une importance capitale au cadre de vie que constituaient pour eux le soleil, la lune, les étoiles et les planètes. La sensibilité aux forces courant sous la surface, la capacité d'établir des rapports subtils entre différentes parties du paysage qui nous apparaissent comme distinctes les conduisaient inévitablement à ce qu'on peut appeler une forme d'astrologie. Plutôt que de la qualifier de primitive, je préfère la percevoir comme « directe », mettant sans intermédiaire ce qui se produit sur la Terre en relation avec les événements célestes. Cette astrologie n'était pas subordonnée à des éphémérides ou des logiciels électroniques, mais à la connaissance personnelle et immédiate des mouvements des astres dans le ciel : c'est pourquoi ils étaient en mesure de procéder à leurs calculs.

C'est dans ce savoir, me semble-t-il, que se trouvent les origines et l'élan ayant présidé à l'élaboration des sites, dont l'étude est connue sous le nom d'astro-archéologie et, plus récemment, d'archéo-astronomie.

Toutes deux reposent sur la même conviction : que sur toute la Terre, les peuples anciens ont disposé leurs tumulus, leurs menhirs et leurs cromlechs dans un rapport spécifique des uns avec les autres et avec les traits particuliers du paysage tels que sommets de collines et crans de mire, de sorte que les alignements indiquaient les dates importantes des événements astronomiques au fil des cycles, annuels ou autres. Considérant ce que je perçois comme la raison d'être de toute cette pratique, je préfère l'appeler « archéo-astrologie ».

Stonehenge en est probablement la meilleure illustration. Le jour du solstice d'été, le soleil se lève dans l'alignement de l'avenue et du centre du cercle. L'archéologue Stukeley le remarqua en 1740 et il est possible que ce fait n'ait jamais cessé d'être connu sur le plan local. En Irlande, chacun savait aussi que lors du solstice d'hiver, les rayons du soleil illuminent la chambre du tumulus de Newgrange. Le rapport entre ce fait et les autres tumulus de la vallée de la Boyne a été le sujet d'une étude détaillée effectuée par Martin Brennan, qui a démontré que le site et son orientation avaient été minutieusement et délibérément choisis [12].

Au début des années soixante, l'astrophysicien américain Gerald Hawkins a procédé à l'analyse informatique des positions des pierres levées de Stonehenge et calculé les positions extrêmes de lever et de coucher du soleil et de la lune en 1500 av. J.-C. Il découvrit ainsi vingt-quatre axes significatifs. D'autre part, il conclut que les cinquante-six « trous d'Aubrey » étaient sans doute utilisés pour prévoir les éclipses. Ils correspondent aux trois cycles lunaires de 18,6 années, à l'issue desquels l'astre retrouve une position identique dans le ciel [55].

Alexander Thom, un professeur de technologie à Oxford, a visité les cromlechs à partir des années 1930, y consacrant des études extrêmement précises. Il constata que deux tiers seulement étaient des cercles parfaits, les autres étant des cercles aplatis, des ellipses ou des formes ovoïdes, toutes résultant d'une construction géométrique relativement simple et évidemment délibérée[111].

Il constata aussi que nombre de ces cromlechs étaient associés à d'autres éléments de l'environnement dans un certain rayon, tels que des menhirs, des crans de mire à flanc de collines ou des affleurements rocheux, et que les axes reliant ces divers éléments avaient une signification astronomique. Un menhir de Kintraw, dans le comté d'Argyll en Écosse, en est la preuve la plus concluante. Thom avait affirmé que le coucher du soleil au solstice d'été était observé d'une petite plate-forme sur la pente abrupte d'une colline dominant le menhir. Par la suite, Euan McKie effectua des fouilles au lieu indiqué et dégagea cette plate-forme, qui s'avéra être une construction artificielle[77].

DÉDALES ET LABYRINTHES

Le labyrinthe est une autre forme présente dans le paysage. La plupart d'entre nous connaissent les labyrinthes de buis. En Grande-Bretagne, le célèbre labyrinthe de Hampton Court, qui date du XVIIe siècle, offre un choix de parcours. On peut parfaitement s'y égarer — en fait, c'est précisément sa raison d'être ! Il existe cependant un type de labyrinthe plus ancien, sous l'aspect d'un motif au sol délimité par des pierres, découpé dans le gazon ou tracé par le pavage et proposant un seul et unique parcours, dont les circonvolutions aboutissent au centre.

Des labyrinthes de ce type existent sur des tombes égyptiennes datant de 3400 ans av. J.-C. Le même dessin figure sur des pièces de monnaie crétoises de l'époque minoenne, peut-être même beaucoup plus anciennes. On connaît aussi des gravures de ce motif qui, selon certains, datent d'environ 1500 ans av. J.-C., près de Tintagel en Cornouailles.

Les labyrinthes de Grande-Bretagne sont surtout des labyrinthes de gazon, de deux types distincts : le vieux type païen et sa version chrétienne plus élaborée. On a reconnu avec certitude l'existence d'une centaine environ, mais il en a sans doute existé plus d'un millier à diverses époques. Ils étaient bien connus au temps de Shakespeare, puisque dans le *Songe d'une nuit d'été,* Titania fait cette remarque à propos d'une période de mauvais temps :

> Le labyrinthe est noyé sous la boue
> Et entre les verts buissons, le charmant dédale des sentiers
> Faute de pieds qui le foulent est devenu invisible.

Incisés dans le gazon, les labyrinthes exigent d'être entretenus sous peine de disparaître complètement en l'espace d'une génération. Un grand nombre furent détruits par les puritains et huit seulement existent encore aujourd'hui.

Le labyrinthe de gazon dit des Murs de Troie (Walls of Troy), près de Brandsby dans le nord du Yorkshire, est probablement le plus ancien de Grande-Bretagne, bien qu'il ait été redessiné à plusieurs reprises, encore récemment, en 1934, alors que les attelages roulant sur la berme en avaient oblitéré le dessin. Il est régulièrement entretenu depuis.

Avec ses douze cercles concentriques, celui de Julian's Bower, à Alkborough dans le Lincolnshire, est beaucoup plus élaboré. Il est basé sur un motif dans la cathédrale de Chartres, datant de 1118. Le tracé de

Labyrinthe crétois. Un des plus vieux tracés, représenté par le labyrinthe de Brandsby (Yorkshire) et les gravures de Tintagel (Cornouailles).

Un des labyrinthes de gazon de Julian's Bower, à Alkborough (Lincolnshire). Semblable à un motif sur le sol de la cathédrale de Chartres.

Julian's Bower était parcouru la veille du premier mai, une tradition qui s'est maintenue jusqu'en 1800.

À quoi servaient les labyrinthes ? La similitude de leur tracé avec le motif coupe et anneaux est frappante et invite à supposer qu'ils pourraient avoir eu une fonction rituelle. D'après les indices fournis par les documents écrits, le folklore et les illustrations qui ont résisté au temps, il semblerait que la danse et la marche faisaient partie de ce rituel, à titre d'acte de contrition ou, plus fondamentalement, pour se mettre en phase avec le lieu ou entrer en méditation. Tandis que des générations successives parcouraient le labyrinthe, il est possible que son tracé ait été illuminé par les mêmes énergies telluriques qui illuminaient les coupes et anneaux et les traces des pèlerins.

On suit le labyrinthe naturellement, au pas ou en courant, et toute personne qui l'a fait sait qu'en cas de

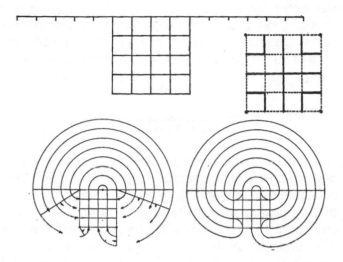

*Stades de la construction d'un labyrinthe, adaptés
d'une illustration de Nigel Pennick pour son livre*
Earth Harmony.

parfait accord avec le lieu, ce parcours se transforme
facilement en une danse rythmique. Notre mémoire
collective a sans doute gardé la trace des danses et l'on
sait que les sorciers ont utilisé les labyrinthes comme
lieux de rencontre. Tourner en rond, s'approcher puis
s'éloigner du centre induit un effet de désorientation et
de perte d'équilibre, comme certains jeux et rites initiatiques exigeant la confiance, et peut provoquer le
flux et le reflux d'émotions telles que le désespoir,
l'espoir et la surprise. Le labyrinthe est donc, en fait, un
autre moyen de parvenir à des états modifiés de la
conscience.

123

Vous pouvez facilement construire votre propre labyrinthe, qu'il soit en pierres ou découpé dans le gazon. L'essentiel est de procéder par stades comme sur les schémas. Les pierres peuvent être déplacées jusqu'à ce que votre tracé soit correct ; mais sur un gazon, mieux vaut le dessiner d'abord avec des piquets.

L'ARBRE DE MAI

L'arbre de mai est une autre survivance païenne. De nombreux villages anglais continuent à faire vivre cette tradition : à Barwick-in-Elmet, dans le Yorkshire, on danse autour du mât dressé la veille du premier mai, entre autres jours. Tom Graves présume que le mât de bois pourrait avoir été un équivalent de la pierre dressée — une « aiguille de bois » — et ses effets encouragés, ou déclenchés, par la pratique de rites de fécondité.

SOUS LA TERRE : LA MATRICE DE LA DÉESSE

Nous avons vu que les cercles de pierres ont sans doute joué un rôle de protection et de concentration, créant une atmosphère particulière dans laquelle le rite et autres activités pouvaient prendre place.

Cette notion d'« atmosphère particulière » peut évoluer jusqu'à celle de lieu totalement clos. Les caves naturelles sont les plus évidemment désignées. Certains des vestiges des plus anciennes demeures humaines viennent de caves auxquelles semble aussi s'être attachée une signification rituelle, comme l'indiquent les peintures des cavernes. Bob Dickinson a attiré notre attention sur l'emplacement des peintures par rapport aux points de résonance dans les caves de l'Ariège (Pyrénées) [33]. Les peuples anciens semblent avoir été parfaitement conscients des propriétés des espaces qu'ils choisissaient et en avoir tenu compte.

Les hommes ont également construit des chambres souterraines artificielles depuis les temps les plus reculés, comme en témoignent les *kivas* des Indiens Pueblos et les *fogous* de Cornouailles. Il y a également lieu de penser que les grands tumulus à chambres ou à longs couloirs en Grande-Bretagne et les structures comme Newgrange en Irlande n'étaient pas seulement utilisés comme sites funéraires, mais également à d'autres fins. Le cromlech de Pentre Ifan, au pays de Galles, était connu dans le folklore comme « la matrice de la déesse Ceridwen » et utilisé pour des rites initiatiques [64] et il semble qu'on ait recouru, dans les *kivas* à tout le moins, à des plantes hallucinogènes.

Ces utilisations sont liées aux fonctions magiques du cercle — protection et concentration — auxquelles s'ajoute la révélation de la nature tridimensionnelle de la « sphère magique ». John Michell fut le premier à faire un rapprochement entre ces structures avec leurs strates de matières organiques (terre) et minérales (roc) et celle des accumulateurs d'orgone de Reich.

Que ces lieux se comportent ou non comme ces derniers, il est certain que des phénomènes lumineux y ont été observés. Devereux mentionne qu'à Chûn Quoit, en Cornouailles, John Barnatt et Brian Larkman furent témoins de clignotements lumineux multicolores qui restent inexpliqués [26].

Ceci évoque naturellement des activités telles que le « sommeil du temple », les pratiques d'initiation chamaniques et les cabines modernes d'isolement sensoriel. Une personne isolée dans ces structures serait non seulement privée de certaines perceptions sensorielles, mais psychiquement, elle se trouverait dans une atmosphère particulièrement favorable aux expériences d'ordre initiatique et divinatoire.

Le Dragon Project Trust entreprend actuellement une « Opération interface » sur le rêve dans des sites spécifiques connus, par exemple, pour des anomalies du magnétisme et des radiations. Des volontaires y séjournent deux par deux : l'un dort, l'autre tient lieu de témoin et, au besoin, d'aide ou de « thérapeute », pour employer un terme conventionnel. Le dormeur est réveillé quand les mouvements accélérés de l'œil indiquent qu'il est en train de rêver et son rêve est immédiatement enregistré. Le but du travail est de déterminer si des images ou des symboles spécifiquement liés au site se produisent, ce qui établirait alors le lien, selon l'expression de Devereux, « entre l'esprit d'une part et le site, la conscience et l'environnement, d'autre part ».

De telles cavernes pourraient avoir été à l'origine des cryptes des églises. On le perçoit clairement dans celle de Lastingham, au nord du Yorkshire, et j'ai fait moi-même l'expérience du pouvoir de ce lieu. C'est une crypte très simple, creusée directement dans le flanc de la colline. Il y a quelques années, je l'ai visitée avec une amie, qui y perçut une si puissante énergie qu'elle se trouva incapable de parler. Elle déclara par la suite qu'elle n'avait jamais rien connu de comparable, mais que l'expérience n'était ni désagréable ni effrayante. De la même façon, mais moins violente, j'ai eu l'impression que les énergies de mon cerveau et de mon corps réagissaient à celles de la crypte et la sensation qu'un courant de pulsations et de chaleur m'envahissait, assez semblable à que j'avais éprouvé après une session de thérapie reichienne. Pendant de longues minutes, je n'ai eu aucun désir de bouger dans ce lieu imprégné de pouvoir. La sensation a persisté pendant dix à quinze minutes avant de s'atténuer ; moi non plus, je n'avais pas envie de parler, puis je suis sorti de la crypte.

Par la suite, j'y ai accompagné Paul Screeton, alors directeur du *Ley Hunter.* Il ressentit comme un bourdonnement dans ce lieu qui lui parut tout à fait extraordinaire. Il a écrit plus tard : « Si vous voulez faire l'expérience du pouvoir des laies, allez dans la crypte de l'église de Lastingham et votre vie en sera changée[103] ».

Pendant que Ian Thomson et l'actuel éditeur du *Ley Hunter,* Paul Devereux, travaillaient sur le terrain pour leur livre *The Ley Hunter's Companion,* ils visitèrent la crypte où ils constatèrent que l'aiguille de leur compas était affectée d'un étrange tressautement rythmique.

LES ÉGLISES

Que les premières églises aient été des bâtiments chrétiens ou païens n'est qu'une question de sémantique. Nous savons à coup sûr par les instructions du pape Grégoire que des temples furent réemployés par les chrétiens. Il est également certain que si les élites des communautés, peut-être par opportunisme politique, adoptèrent le christianisme au moins de façon formelle, la majeure partie du peuple conserva ses croyances et ses pratiques païennes.

Guy Ragland Phillips a montré à quel point des symboles païens comme l'étoile à cinq branches restent présents dans des bâtiments évidemment chrétiens[98] et Ian Taylor a attiré notre attention sur les églises en tant que successeurs des « bosquets » des rencontres druidiques :

Les églises chrétiennes ont été conçues à leur image, les piliers et les arches représentant les troncs et les frondaisons de la forêt sacrée. Avant la Réforme, les églises étaient couvertes de peintures inspirées par les couleurs des bois, d'où les dieux et les esprits de la nature observaient les fidèles [109].

Il semble certain que la science de la géométrie sacrée — formes, figures, proportions, nombres, mesures et matériaux — a été secrètement transmise à l'époque de la christianisation et incorporée à l'architecture religieuse, y compris à celle des grandes cathédrales. Tous les principes de la géométrie sacrée ont été appliqués à leur construction. Le cercle a été employé, et bien que les églises rondes soient rares, elles sont d'un type très particulier. La plupart des églises ont été bâties sur la base de triangles équilatéraux et de carrés — les méthodes dites *ad triangulum* et *ad quadratum*. Cette dernière, consistant en un carré disposé sur un autre carré à un angle de 45°, a constitué un des plans les plus utilisés dans le monde entier. En Grande-Bretagne, le meilleur exemple de construction *ad triangulum,* basée sur le triangle équilatéral, est la chapelle de King's College de Cambridge [92]. La figure plus élaborée de l'hexagramme, composée de deux triangles équilatéraux superposés tête-bêche, le pentagramme ou étoile à cinq branches, symbole des sorciers, et le plan en forme de 8 furent également employés.

L'architecture religieuse de l'époque médiévale témoigne d'une conscience très nette des effets de la forme sur la conscience.

8

Géographie poétique

Il existe un fonds de savoir constitué sur la plupart des sujets ; mais bien qu'il évolue rapidement, celui des mystères de la Terre en est encore aux balbutiements et fourmille d'idées et de spéculations sur les formes et les énergies dans l'environnement naturel. Ces dernières sont les fils dont notre sujet est tissé. Nombre d'entre elles sont des produits de l'imagination, très subjectifs en raison de la nature même de notre étude. Ce qui ne les invalide pas pour autant, mais exige qu'elles soient placées dans un contexte approprié. Si nous parvenons à percevoir ce trésor d'idées comme stimulant pour l'imagination plutôt que d'y chercher des vérités objectives, nous disposons là de possibilités multiples pour pénétrer par l'intuition la nature réelle de notre rapport avec la Terre en tant que planète vivante.

GÉOMÉTRIE DU PAYSAGE

Heinsch concevait la géométrie sacrée et ce qu'il appelait la géographie sacrée comme des éléments d'un continuum allant de la structure et la forme d'un bâtiment au paysage environnant. L'utilisation de mesures et de proportions sacrées a été développée par de nombreux chercheurs pour projeter un modèle géométrique sur le paysage, appliquant ainsi la théorie des laies de Watkins au concept plus ouvert de « géographie sacrée » ; et nous avons déjà vu que Tyler, Lawton et Koop l'élargissent à de plus vastes modèles.

On a découvert des laies de plus de quatre-vingt-dix kilomètres[118] et, peu après, commencé à décrire divers axes de plusieurs centaines de kilomètres, comme la croix de St Albans, tandis que Kenneth Koop répandait l'idée que plus d'une centaine de laies traversent le cromlech d'Arbor Low (Derbyshire)[67].

En 1970, j'ai avancé le concept de « laie de base » — une structure à laquelle toutes les autres laies étaient censées être conformes. La « ligne de St Michael » proposée d'abord par John Michell en est un exemple. Partant du mont St Michael en Cornouailles, elle traverse Glastonbury et Avebury puis, vers le nord-est, gagne Bury St Edmunds en East Anglia. La « ligne Belinus » proposée par Guy Ragland Phillips en est un autre. De Lee-on-Solent au sud à Inverhope au nord, elle constitue l'axe le plus long repéré sur le sol de la Grande-Bretagne et, selon Philipps, celui auquel Geoffrey de Monmouth, au XIIᵉ siècle, faisait allusion dans l'*Histoire des rois de Bretagne*[97].

L'ennui est que lorsque ces axes atteignent environ quatre-vingts kilomètres, on doit commencer à tenir compte de la courbe terrestre : une ligne droite sur la carte n'est plus nécessairement une ligne droite au sol. De plus, dans la majorité des cas, impossible de prouver que ces lignes sont bien des laies, de quelque nature que ce soit, à plus forte raison des laies « de base ». En fait, la notion même de structure de base ou de grille modèle, à laquelle correspondraient les autres laies, en dit plus sur notre propre environnement culturel que sur la réalité du paysage.

Paul Devereux a appelé ces lignes des « couloirs géomantiques », pour lesquels les standards de rectitude appliqués aux laies à proprement parler ne sont pas appropriés ; ce qui n'est pas la même chose que de dire qu'elles n'existent pas. La question de ces « couloirs » reste donc ouverte.

John Michell a attiré l'attention sur un modèle élargi, appliqué au paysage, auquel est accordé un certain crédit : celui du Circle of Perpetual Choirs passant par Stonehenge, Glastonbury et Lantwit Major, selon les *Triades de l'Ile de Bretagne*. Or, si l'on trace un cercle passant par ces trois sites — qui sont équidistants — on s'aperçoit qu'ils constituent trois sommets d'un décagone dont le centre est le hameau de Whiteleafed Oak, un point commun aux trois comtés de Worcestershire, Herefordshire et Gloucestershire[81]. Ces lieux à cheval sur trois comtés sont souvent chargés de sens et puissants sur le plan des énergies telluriques. John Merron, chercheur du mouvement Earth Mysteries, a découvert par la suite l'emplacement des autres sommets du décagone et constaté qu'ils sont également occupés par des sites significatifs.

Certains vont plus loin et imaginent une grille couvrant toute la surface de la Terre. Steve Cozzi définit comme système planétaire « toute série de lignes tracées à la surface de la Terre dans le but de mesurer un quelconque système, défini au préalable, d'idées, de corrélations ou de théories »[20].

Il existe en chacun de nous un besoin incoercible de faire naître l'ordre de ce qui apparaît comme un chaos. Celui de discerner un plan à la Terre elle-même remonte au moins à l'époque de Ptolémée. La plupart des grilles de lecture suggérées ont peu de rapport les unes avec les autres, et leur nature très générale les rend difficilement applicables dans le cadre d'Earth Mysteries. Elles n'en restent pas moins des hypothèses intéressantes, témoignant du goût de l'être humain pour l'ordre plus qu'elles ne permettent à la Terre de révéler sa propre nature.

VENT ET EAU :
LA PRATIQUE DU FENG SHUI

En dépit des résultats du projet Dragon et des autres travaux effectués au fil des années, il est beaucoup trop tôt pour être dogmatique en ce qui concerne la nature des énergies sur les sites anciens ou la manière dont elles opèrent.

Le système chinois du *feng shui,* mentionné dans le quatrième chapitre [37], pourrait être une source d'indices. Il a pour but de tenir compte des courants d'énergies de l'environnement afin de choisir les meilleurs sites pour une maison, un monument funéraire ou tout autre type de structure. Il propose également les moyens par lesquels on peut agir sur la nature en vue d'y favoriser la circulation des énergies et, par conséquent, le bien-être de ceux qui l'habitent. John Michell souligne :

> Les anciens peuples nomades n'avaient pas besoin d'un système structuré tel que le *feng shui,* puisqu'ils vivaient et se déplaçaient sous l'influence directe des énergies telluriques subtiles et que ses principes mêmes étaient naturellement intégrés à leur mode de vie. Comme toutes les sciences, le *feng shui* est un expédient né de la civilisation, une technique visant à réconcilier la nature humaine avec les limitations que lui impose la sédentarité [83].

Comprendre que la forme est un reflet du type d'énergie qui lui est sous-jacent et qu'une interaction se produit entre les deux permet de découvrir les meilleurs sites. La sensibilité des peuples anciens leur permettait de le faire de façon instinctive. Dans un pays très peuplé comme la Chine, les meilleurs sites étaient rapidement accaparés par les empereurs et la classe dominante. Les autres devaient se contenter de lieux moins favorables, ce qui les conduisait à faire appel au pratiquant de *feng shui,* dont l'art consiste à améliorer le paysage en l'investissant correctement et en s'assurant que rien ne viendra y perturber le flux de l'énergie. Stephen Skinner écrit :

> On peut corriger délibérément les lignes naturelles de surface en vue d'une configuration plus apte à conserver et accumuler le *ch'i* pour le bénéfice de la Terre, de l'homme et du ciel... Le *ch'i* se concentre naturellement et peut être intensifié en certains points de la Terre grâce aux modifications du paysage préconisées par les règles du *feng shui* [106].

Tout un ensemble d'altérations opérables dans l'environnement naturel s'est peu à peu constitué : la forme d'une colline peut être modifiée par la construction de tertres ou même en supprimant la pointe d'un sommet. Les collines peuvent être exhaussées, des pagodes construites dans un paysage sans relief ou sur un plateau. Des arbres peuvent être plantés, des remblais accotés à la façade nord d'une maison pour disperser le *ch'i* néfaste émanant de cette direction. Des plans d'eau légèrement animée et des chutes artificielles peuvent être mis en place ou des cours d'eau existants réorientés pour contribuer à l'accumulation du *ch'i.*

LES ÉNERGIES DE LA TERRE :
UN SYSTÈME VIVANT

Le *feng shui* permet de porter un autre regard sur les sites anciens à travers le monde. Les repères de Watkins — sommets, tumulus, fossés, bouquets d'arbres — témoigneraient-ils, eux aussi, d'une certaine conscience de ces principes sur lesquels repose le *feng shui* ? Les cromlechs et les églises, par exemple, ont souvent été construits sur d'excellents sites, ainsi que nous l'avons déjà signalé à propos de Castlerigg et Glastonbury Tor.

Agir sur le paysage pour obtenir une meilleure énergie en un point donné peut être assez simple, tout comme entretenir une source pour s'assurer que rien n'obstrue son cours ou planter des arbres sur un site sacré.

On peut détourner l'eau à l'aide de remblais pour drainer ou irriguer ; de même, de nombreux tertres et autres structures pourraient avoir eu comme origine une volonté de canaliser des énergies telluriques. C'est pourquoi Ian Taylor émet la supposition suivante :

> Les travaux linéaires étaient le moyen de manipuler, de canaliser et de contenir les grands courants d'énergie tellurique, de les amener d'une région centrale de plateaux calcaires pour les acheminer, parfois à des kilomètres de distance, vers des lieux où des courants plus subtils exigeaient d'être intensifiés [109].

Selon les légendes, de nombreuses pierres et sources sont douées de pouvoirs curatifs, que le rituel leur permet de manifester ; mais les récits du type de la Vache blanche de Mitchell's Fold nous rappellent qu'on peut épuiser ces pouvoirs en en faisant mauvais usage.

134

La thérapeutique reichienne, l'acupuncture et diverses autres thérapies sont basées sur le principe de courants d'énergie parcourant le corps humain. Le processus de guérison consiste à en corriger les déséquilibres et éliminer les blocages afin de restaurer la libre circulation de l'énergie dans l'ensemble du corps.

Développée également en Chine, l'acupuncture joue en quelque sorte dans le corps humain un rôle équivalent à celui du *feng shui* dans le paysage. Elle enseigne que le corps est parcouru par le *ch'i* selon des trajets appelés « méridiens », sur lesquels se trouvent, à divers intervalles, les points d'acupuncture. Leur stimulation par l'insertion d'aiguilles, par des massages ou par la chaleur, équilibre les éléments *yin* et *yang* constitutifs du *ch'i* et dont le déséquilibre est considéré comme l'origine du mal-être et de la maladie. Les courants d'énergie sont ainsi réajustés et équilibrés aux points soigneusement choisis le long des méridiens.

On peut dégager des parallèles entre la présence d'énergie dans le corps humain et dans le paysage, et au début des années 70, John Wheaton avança, dans *The Ley Hunter,* la notion d'« acupuncture de la Terre », par la suite reprise et développée par Tom Graves[49]. Si l'on considère notre planète comme un être vivant, ses courants d'énergie et ses centres sacrés correspondent alors aux méridiens et aux points d'acupuncture du corps humain ; par conséquent, des techniques comparables à l'acupuncture doivent pouvoir être appliquées aux paysages naturels en vue de résultats équivalents.

Selon cette conception, les différents rituels pratiqués près des pierres levées ont pour but de les faire réagir comme les aiguilles de l'acupuncteur, encourageant et redistribuant les énergies et libérant les blocages. Les feux de balisage présentent une similitude particulièrement frappante avec le *moxa,* autre thérapie orientale, recourant à des cautères incandescents à la place des aiguilles. Cette idée a inspiré récemment au sculpteur Marco Pogacnik une tentative de « guérison de la Terre » par le moyen de sculptures de pierre qu'il a installées dans un bois, en Allemagne.

Le parallèle a parfois été poussé plus loin : certains points à la surface de la Terre seraient des *chakras* ayant, en fonction de leur nature, des effets spécifiques sur le paysage. Notre *chakra* du cœur, par exemple, est perçu comme une rivière entourant une colline conique coiffée d'une église. On fait souvent référence à ces points comme à des « temples naturels ».

Différents axes incorporant les sept *chakras* ont été suggérés. L'un d'eux irait de la France à l'Écosse. Beaucoup d'autres ont été proposés, à un échelon parfois très local.

Quels que soient les mérites de ce parallèle étroit entre les *chakras* du corps humain et de la nature, cette façon d'appréhender le paysage peut susciter des intuitions d'une géographie subtile qui nous échappe généralement.

DÉTECTER L'ÉNERGIE
PAR LA RADIESTHÉSIE

Depuis la formulation de la notion d'énergies de la Terre dans les années 30, on a tenté de montrer que les peuples anciens étaient capables de les détecter et que dans des conditions adéquates, nous serions capables de le faire aujourd'hui.

Dans une large mesure, cette idée vient des radiesthésistes, qui ont constaté qu'ils ne détectaient pas seulement des eaux souterraines, mais autre chose, qu'ils ont appelé « force tellurique ». Compte tenu des réserves exprimées dans le cinquième chapitre, que

136

pouvons-nous apprendre des radiesthésistes sur les sites anciens et les énergies de la Terre ?

Partant des investigations de Reginald Allender Smith [107], qui avait décelé ce qu'il considérait comme des croisements de cours d'eau souterrains sous des menhirs, Guy Underwood a défini trois types d'axes détectables par la radiesthésie : des « lignes d'eau », des « pistes » et des « aquastats ».

Il pensait que dans tous les cas, il s'agissait de « lignes d'équipotentiel électrique » résultant « d'anomalies géophysiques » et que les monuments anciens, les routes, les limites coïncidaient avec elles parce que leur implantation avait été choisie par des clercs capables de détecter ces axes [115].

Tout en acceptant leur réalité, les critiques ont généralement conclu que ces axes résultaient plutôt de caractéristiques physiques que l'inverse.

Aujourd'hui, on ne se réfère guère à la classification un peu arbitraire d'Underwood ; cependant, des personnes qui, parfois, n'ont pas été en contact avec ses travaux, continuent à découvrir, comme lui, des faisceaux de lignes et des spirales.

Ayant passé de nombreuses années à expérimenter avec la radiesthésie près des menhirs du sud de son pays de Galles natal, Bill Lewis est parvenu à la conclusion qu'un croisement de cours d'eau souterrains sous une pierre levée « active » crée un petit champ électrostatique. Le menhir amplifie cette énergie, qui monte du sol et s'élève dans la pierre en une spirale à sept circonvolutions. Il a constaté des variations et un changement de polarité de cette force, liés au cycle lunaire.

Les intuitions de J. Havelock Fidler sur le fonctionnement de l'énergie terrestre sont originales et intéressantes. Travaillant indépendamment, Fidler a constaté qu'avec une baguette de sourcier, il pouvait détecter la

« charge » d'un menhir, la longueur d'ondes se situant dans la bande des fréquences radio du spectre électromagnétique ; que celle-ci était stabilisée par l'électromagnétisme et qu'elle pouvait affecter la germination des plantes situées sur une de ces « lignes de charge »[38].

Quant à Tom Graves, il a pu déterminer la polarité de pierres levées et y déceler un type de « charge », présentant apparemment des fluctuations et différents cycles allant, l'un d'environ vingt secondes à un autre correspondant au cycle mensuel de la lune. Il a confirmé les constatations d'Underwood, qui avait repéré un cycle, coïncidant avec le calendrier celtique, commençant les sixièmes jours après la nouvelle et après la pleine lune. Il a également confirmé celles de Lewis, qui avait détecté sept bandes sur la plupart des grandes pierres et pensait qu'elles constituaient des « points de "ponction" dans une spirale de libération d'une forme d'énergie montant et redescendant dans la pierre en fonction du cycle lunaire »[49].

Selon lui, chaque bande a ses propriétés particulières : la cinquième affecterait l'équilibre du radiesthésiste et l'écarterait de la pierre ; elle serait à son maximum de force à la nouvelle et à la pleine lune. Un contact avec la septième bande donnerait la sensation que le menhir bouge ou bascule, ou celle d'un chatouillement comparable à un léger choc électrique ; il pourrait aussi déclencher la soudaine décharge d'une énergie accumulée, qui provoque une violente contraction des muscles dorsaux.

Au cromlech de Rollright, Graves détecta l'énergie sautant de menhir en menhir. À la rupture de l'alignement de pierres, il détecta des lignes d'énergie s'écartant selon une tangente. En touchant l'une des pierres, il libéra apparemment une pulsation massive d'énergie. Elle lui occasionna instantanément un mal de tête qui persista un quart d'heure. Il qualifia ces pulsations d'énergie déchargée de « susterraines ». Elles se manifesteraient sur des axes parfaitement rectilignes détectables à la baguette à travers la campagne et pourraient correspondre à des laies.

Les radiesthésistes américains Terry Ross et Sig Lonegren ont découvert ce qu'ils ont appelé des « laies d'énergies » : également rectilignes, elles aussi seraient détectables à la baguette et pourraient ou non correspondre effectivement à des laies[75].

Il y a des années que les radiesthésistes détectent des « courants noirs » qui seraient à l'origine d'accidents ou de maladies. Plus récemment, on a constaté que les mêmes caractéristiques pourraient s'appliquer à certaines « laies d'énergie ». Après qu'elles ont été localisées, on peut les détourner ou les arrêter en enfonçant des pieux en des points stratégiques et rétablir ainsi un climat sain dans le secteur ou la maison.

Il va de soi qu'une telle activité exige une grande prudence : détourner ou modifier des courants d'énergie sans en envisager les effets possibles en d'autres points est en effet une grande responsabilité.

LES ZODIAQUES TERRESTRES

Le sculpteur Katherine Maltwood s'intéressait au folklore et à la mythologie. En 1925, lisant *The High History of the Holy Grail (La Quête du Graal)*, elle se rendit compte que les lieux mentionnés correspondaient à des sites de la vallée d'Avalon dans le Somerset et les reporta sur une carte topographique.

Une inspiration soudaine lui fit découvrir autre chose : « Je n'oublierai jamais à quel point je fus sidérée de m'apercevoir que les méandres de la rivière Cary dessinaient la silhouette d'un lion en dessous de la vieille capitale du Somerset[79] ». Surgit ensuite un géant, dessiné par les collines de Dundon et de Lollover. Un astrologue lui suggéra qu'il s'agissait d'une représentation des signes du Lion et des Gémeaux. Maltwood s'installa alors dans la région pour se consacrer à cette recherche et finit par découvrir, formant un cercle, les autres signes du zodiaque. Elle nomma « Temple des étoiles de Glastonbury » cet ensemble aujourd'hui connu comme le « Zodiaque de Glastonbury ».

À l'aide de photographies aériennes, elle en reporta les figures sur une carte topographique détaillée. La plupart des signes traditionnels du zodiaque y figuraient, mais un Phénix remplaçait le Verseau, une Colombe la Balance et un Bateau le Cancer. Elle découvrit également près de Langport un grand Chien qui semblait veiller sur le cercle.

Chacun connaît, gravées dans le calcaire, les grandes figures du Cheval d'Uffington, de l'Homme long de Wilmington et du Géant de Cerne Abbas. Mais celles du Zodiaque sont d'une nature très différente : il s'agit d'énormes sculptures terrestres qui ne peuvent être perçues que d'avion ou sur une carte. Le diamètre du cercle du zodiaque mesure seize mètres et ses figures sont délimitées par des rivières, des ruisseaux, des routes, des sentiers et des dénivellations, avec des tertres aux points clefs.

Maltwood pensait que ces figures ont été créées en des temps préhistoriques en apportant un minimum de modifications aux formes naturelles du paysage pour constituer une sorte de temple ou de sanctuaire.

Elle découvrit que les légendes locales et les noms de lieux correspondaient exactement au secteur particulier du zodiaque où ils se trouvaient. Le hameau de Wagg, par exemple, est situé précisément sur la queue du Chien ! (NDT : les chiens qui « remuent la queue », *wagg their tail*.)

Naturellement, tout cela suscita une réaction sceptique des archéologues et historiens, qui nièrent avec véhémence l'existence du Zodiaque de Glastonbury.

Après la publication des observations de Maltwood, d'autres zodiaques furent découverts. Lewis Edwards en localisa un dans la région de Pumpsaint au pays de Galles [36], puis vinrent Kingston [14], Nuthampstead [91], Stanley [17], et Holderness [56]. À ce jour, plus de soixante ont été décrits qui présentent une grande diversité de figures, de taille, de forme et d'orientation [57].

Mais existe-t-il des preuves réelles que ces zodiaques sont autre chose que le produit d'imaginations survoltées ? Déplacer des volumes de terre pour modifier la configuration d'un terrain est une pratique avérée dans le monde entier, comme en témoigne le *feng shui*. Le fait que Maltwood était sculpteur est significatif, puisqu'un des talents de ce métier consiste à donner vie à des créations à partir de formes présentes dans la nature. Un de mes amis a créé un jeu de runes avec des silex trouvés sur l'estran. La forme de chacun évoquait un des caractères runiques et put donc être modelée de la façon la plus naturelle. Il est possible qu'un procédé similaire ait été employé pour créer les figures du zodiaque. Et Wildman a sans aucun doute constaté que les haies dessinant le Zodiaque de Glastonbury sont nettement plus anciennes que les autres haies de la même région, dont l'implantation remonte à l'époque médiévale [130].

Cependant, comme le prouve le test de Rorschach, nous avons tous une aptitude naturelle à déceler telle ou telle figure dans des configurations aléatoires et le chercheur Philip Reeder déclare que certaines formes ont tendance à être systématiquement identifiées comme éléments du zodiaque [99]. Il en existe au moins un — et bien argumenté — dont l'auteur a admis après coup l'avoir fabriqué de toutes pièces ; et avec l'exemple plein d'humour du Cheam Zodiac [3], l'astrologue John Addey a démontré qu'il est facile d'attribuer à des points choisis au hasard les caractéristiques des signes du zodiaque.

Si les zodiaques terrestres sont le produit de notre imagination, nous pouvons simplement y renoncer comme à de pures illusions, ou les utiliser comme hypothèses de travail en raison de leur valeur artistique propre. Imaginaires ou non, ils peuvent fournir un but de pèlerinage, de manifestations rituelles ou artistiques [68] et enrichir de leur signification l'interaction entre un individu et son environnement naturel.

Abandonnant momentanément la question de la réalité objective ou non des zodiaques terrestres, comment procéder pour les découvrir, ou les créer ?

Le Temple des étoiles de Glastonbury

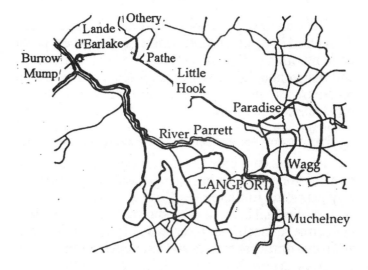

Contour du Chien de Langport. Une des figures
originales du Zodiaque de Glastonbury (adaptée par
Brian Larkman). Il se trouve à l'extérieur du cercle,
qu'il garde — pareil au mythique Cerbère.

Examinez tout d'abord les cartes de ceux qui ont
déjà été publiés pour en percevoir l'atmosphère. Puis
choisissez un secteur ayant vraisemblablement un
potentiel. En effet, à travers l'examen de nombreux
zodiaques terrestres, je suis arrivé à la conclusion que
certains paysages se prêtent mieux à ce type de découvertes.

Ce sont les régions vallonnées, accidentées, assez
boisées, à configuration complexe avec des dénivellations variées, dont le paysage change sur des distances
relativement restreintes ; avec de vieilles routes et
chemins dont le tracé pourrait correspondre à des
courants énergétiques, avec des noms de lieux particuliers, rémanences de langages à demi oubliés qui

éveillent encore des échos au fond de notre esprit. Souvent, la région semble isolée, à l'écart de la vie contemporaine ; il peut sembler que la sorcellerie s'y soit maintenue. Les très vieilles forêts et les points de rencontre de trois comtés pourraient aussi être de précieuses indications[56].

Quand vous avez choisi une région, gardez la carte sous les yeux. Dans une sorte d'exercice méditatif, mettez-vous en phase avec le concept zodiacal et certains noms de lieux qui en évoquent les signes surgiront peut-être. Entourez-les d'un cercle au crayon, que vous garderez à la main pour surligner, le cas échéant, des formes évocatrices. Il est probable qu'une figure du zodiaque finira par émerger — souvent le Lion, comme ce fut le cas pour Katherine Maltwood et comme il est logique, étant donné ses caractéristiques astrologiques. Si rien ne prend forme, rangez votre carte — vous la reprendrez à un autre moment. Ne vous inquiétez pas de savoir si ce que vous découvrez est « authentique » ou une pure invention de votre part : traitez vos trouvailles comme des œuvres d'art : vous maniez ici un concept poétique, qui convient à nos rapports avec le paysage et à notre conscience de sa diversité. Voici ce qu'écrit David Geall à propos de son Zodiaque de Londres :

> Il en va des zodiaques comme de la poésie : certaines personnes ne croient absolument pas à son existence tandis que d'autres discutent pour savoir si tel ou tel arrangement de mots est ou non de la poésie. Ces zodiaques sont, en quelque sorte, des poèmes topographiques, une géographie poétique qui s'apparente à l'histoire légendaire. Comme les légendes, avec lesquelles ils ont souvent partie liée, ces poèmes au sein du paysage donnent à un lieu cette identité, cette personnalité si souvent absentes des zones urbani-

sées comme les banlieues de Londres, de sorte que grâce à eux, un point cesse de n'être qu'un point perdu au milieu d'un espace indifférencié qui pourrait se trouver n'importe où[46].

L'intérêt de ces zodiaques terrestres nous échappera si nous nous en tenons à la faiblesse générale des preuves de leur réalité physique. Le fondement des anciennes religions et des arts tels que l'astrologie est qu'en dernier ressort, il n'y a pas de différence véritable entre ce qui est en nous et ce qui est en dehors de nous. Envisagés de ce point de vue, les zodiaques terrestres peuvent jouer un rôle, qu'ils soient ou non considérés comme « réels ». Que nous les voyions en nous-mêmes ou dans le paysage, nous investissons les lieux concernés d'une plus grande signification. Mieux vaut donc y penser comme à un phénomène moderne, faisant partie du mouvement croissant qui vise à découvrir le sens et la diversité du paysage naturel ; et s'ils contribuent à nous rendre plus conscients de la Terre et de notre rapport avec elle, alors leur étude peut être regardée comme bénéfique.

9

Les demeures des esprits de la Terre

Dans mon esprit, l'étude des mystères de la Terre se rapporte à beaucoup plus qu'à des peuples depuis longtemps oubliés et à des monuments qu'ils ont laissés derrière eux : elle est solidement ancrée dans le présent et dans notre relation à la planète Terre.

Il est sans doute inévitable que dans l'étude des sites préhistoriques, notre attention se soit concentrée sur des structures artificielles, surtout lorsqu'elles sont aussi frappantes que les cromlechs. Et pourtant, en particulier si on se souvient que les premiers chrétiens accusaient les païens d'adorer les arbres, les cours d'eau et les pierres, il est probable qu'une signification supérieure s'attachait aux sites naturels.

Dans ce chapitre, je voudrais en analyser quelques-uns qui m'attirent particulièrement ; et me souvenant que Watkins les avait classés en fonction des quatre éléments, comme son fils Allen me l'a raconté, j'en ai choisi trois — la terre, l'eau et l'air.

LA ROCHE VIVANTE

Dans la vie des anciens, la pierre jouait un rôle considérable, de l'implantation de modestes jalons à l'érection de menhirs et de gigantesques cromlechs.

Apparemment, la nature même de la pierre était primordiale, puisqu'en bien des cas, les plus proches étaient négligées en faveur de blocs d'origine lointaine, le cas le plus célèbre étant celui des pierres bleues de Stonehenge, amenées des montagnes de Preseli dans le pays de Galles, à trois cents kilomètres de distance.

Nous commençons seulement à comprendre la signification de la pierre. Don Robins, un chercheur qui participe au projet Dragon, a montré que sa structure comporte des « lacunes » qui peuvent piéger des électrons. Des électrons libres provenant de l'atmosphère ou de la Terre peuvent ainsi y affluer, provoquant des phénomènes électriques. Ils peuvent aussi être libérés par l'application d'énergie [101]. Tout cela démontre que les pierres sont très actives et peuvent absorber et libérer des énergies. Tout un corps de savoir s'est effectivement développé autour des utilisations de différents types de cristaux pour la guérison et la méditation ; et le folklore nous indique que les peuples anciens attribuaient de la valeur et des propriétés à certaines pierres.

En contrepoint de la formation spectaculaire de failles majeures et d'intrusions tectoniques, qui sont les principaux foyers de phénomènes lumineux, la lente accumulation de roches sédimentaires constitue le caractère spécifique d'une région. Ce caractère, sujet même de la géographie, est avant tout subordonné à la nature du sous-sol. Supposons que chaque strate ait son propre « champ morphogénétique » pour reprendre le terme de Sheldrake, ou « *deva* du paysage », pour employer une autre terminologie, nous serait-il alors possible de les percevoir comme des « atmosphères psychiques » différentes ?

Prenons l'exemple du calcaire. J'ai passé les jours les plus mémorables de mon enfance à vélo dans les landes dans le nord du Surrey. Pédaler sur les longues pentes de ses collines et dans ses vallons arides m'a donné une compréhension intime du paysage crayeux. Comme il m'est difficile d'exprimer mes pensées et mes sentiments sur ce sujet, je m'en remettrai à d'autres.

L'occultiste Dion Fortune a écrit que c'est sur le calcaire qu'on éveille le mieux les dieux antiques [41]. L'acteur Michael Bentine se rappelle avoir demandé à un médium pourquoi, aux environs de Folkstone où il habitait, certaines parties des plateaux calcaires lui procuraient une profonde sensation de sécurité, alors que d'autres le mettaient mal à l'aise et le rendaient nerveux. La réponse fut que la personnalité de tous ceux qui ont vécu en ces lieux s'est imprimée dans le calcaire, d'origine organique, et que Bentine la percevait. « Toute personne qui y est sensible "rejoue", en quelque sorte, comme un tourne-disque, tout ce qui a été enregistré dans le calcaire ! Même la forme des collines, souvent modelées par l'homme, vous affecte [4] ! »

Ian Taylor exprime son expérience personnelle quand il parle des fosses calcaires. Je le cite longuement, non seulement parce qu'il a attiré notre attention sur un type de site mystérieux jusque-là négligé, mais aussi parce que son expérience est en parfait accord avec la mienne. Et comme il est poète, il l'exprime mieux que je ne le ferais moi-même :

Pour toute personne douée d'un minimum de sensibilité sans être en proie à la logorrhée de ce qu'Aldous Huxley appelle un « stupide monologue », et suffisamment en paix avec elle-même pour s'ouvrir à l'influence de la campagne, il est impossible de ne pas être frappé par la qualité exceptionnelle qui se dégage du calcaire en divers moments de la journée et dans certaines conditions atmosphériques. Quand vient la période de faibles pluies, où la couverture de nuages est modérément dense et uniforme sans être trop basse ; quand la lumière se répand également sur l'ensemble du paysage, sans en faire miroiter telle partie ni laisser telle autre dans l'ombre ; quand le vent tombe ou ne souffle plus qu'en sages petites rafales, une atmosphère magique enveloppe alors toute la région des Wolds, et cette magie émane du calcaire lui-même. Quand les conditions décrites ci-dessus sont rassemblées, à l'aube et au crépuscule, en cours de matinée ou d'après-midi, la même magie opère. Je l'ai ressentie si souvent dans ma longue relation avec ce paysage ! Je la connais aussi bien que mon propre nom. C'est l'essence même de l'esprit intime de la Terre — immémorial et profondément mystique — et elle n'est en aucun lieu aussi pré-gnante qu'à l'entour de ces étranges fosses calcaires. Chaque fois que je m'approche de l'une d'elles restée relativement intacte, j'entre de plain-pied dans ce climat magique. Comme les étangs et les tumulus, les bords des fosses calcaires sont des lieux de pouvoir maximal (et traversés par les laies). Si vous restez assis un assez long temps près de l'une d'elles, vous sentirez tournoyer l'énergie à sa périphérie. Lui correspond, au fond de la fosse, un calme qui est celui de l'œil de la tornade ; et vous éprouverez cet étrange sentiment de vide, comme sur le point de tomber dans les profondeurs de la psyché de la Terre (et de la vôtre) ainsi qu'une pierre dans un puits de mine. Cette réaction émotionnelle semble être le résultat de la nature *yin* de la fosse : en de tels lieux peut naître une imagerie inconsciente profonde, dans une atmo-sphère de solennité purifiante [109].

Il semble important et enrichissant de développer ce type d'approche des mystères de la Terre, ce lien avec la terre même sous nos pieds. Itzhak Bentov prend l'exemple d'un creux de rocher où des animaux peuvent trouver un refuge : les oiseaux commencent à y nicher et petit à petit se développe l'idée d'un « esprit du rocher » ; puis les humains en prennent conscience et leurs pensées et leurs sentiments contribuent graduellement à la création d'un puissant dieu de la tribu[5].

Kaledon Naddair, un chercheur et écrivain spécialiste de la tradition celtique et de l'art paléolithique, a raconté comment, pour découvrir de nouvelles gravures, il s'efforce de contacter les esprits des rochers — des êtres spirituels réels qui habitent ces sites. Vivants, ils peuvent sortir des rochers et se matérialiser. Selon lui, c'est en raison du respect avec lequel il aborde les sites qu'au fil des années, il a gagné la confiance des êtres spirituels. Il peut maintenant entrer en contact avec eux sur un mode amical et positif et se voir ainsi guidé vers de nouvelles gravures en coupe et anneaux, parfois dissimulées sous quinze centimètres de terre[90].

Il arrive aux pratiquants de l'escalade à mains nues de prendre une conscience aiguë de la nature vivante de leur élément. Dans une interview de John Gill, Jim Perrin décrit des états quasi hypnagogiques au sein même de l'acte sportif et rapporte comment, sur les voies faciles, Gill « avait par moments l'impression de se faufiler dans et en dehors du roc et de jeter un coup d'œil à partir de l'autre côté de sa surface »[96].

Apparemment, la communication psychique peut se propager plus facilement le long des strates qu'à travers elles ; un lien réel peut donc se créer entre les sites placés sur des strates similaires. Tous ceux qui visitent des sources jaillissant de roches calcaires se trouvent par conséquent en rapport avec ceux qui visitent d'autres sites sur des strates de même nature. Évidemment, il s'agit là de pure spéculation, mais cela ouvre une voie d'exploration intéressante dans le domaine de la télépathie.

Avant que les carrières soient explorées de façon intensive, les affleurements géologiques étaient chargés de signification. De nombreuses légendes populaires s'y rapportent, comme c'est le cas pour les sites sacrés d'Ayers Rock en Australie et d'Externsteine en Allemagne. Si la roche naturelle a une telle influence et retient à ce point la mémoire psychique, il n'est pas surprenant qu'une considération toute particulière soit accordée aux lieux où elle affleure.

En dehors des falaises côtières, une brèche sédimentaire appelée Drewton Pillar constitue le plus grand affleurement rocheux de tout l'est du Yorkshire. Elle est également connue sous le nom de St Austin's Stone, parce que saint Augustin, selon la légende, y aurait prêché et aurait baptisé des convertis dans le cours d'eau en contrebas. Ce qui semble indiquer que longtemps avant la visite de saint Augustin, le rocher était déjà chargé d'une signification sacrée. C'est le cas, et de façon plus nette encore, à Tcalby dans le Lincolnshire, où l'affleurement rocheux naturel appelé Devil's Pulpit (le Pupitre du diable) a la réputation d'être un lieu de rassemblement de sorciers et sorcières.

Les cirques ont un puissant effet : Hardraw Force, la plus haute chute d'eau d'Angleterre près de Hawes (Yorkshire), est très impressionnante, la chute elle-même restant invisible tant qu'on n'a pas réellement pénétré à l'intérieur du cirque. Ces lieux, où l'on approche au plus près l'esprit de la Terre, ont dû avoir une importance toute particulière pour nos lointains ancêtres.

151

SOURCES ET FONTAINES SACRÉES

Les fontaines sacrées sont définies par Edna Whelan et Ian Taylor comme des sources naturelles à peine aménagées par la main de l'homme[129]. Leur caractéristique est de ne jamais tarir, même pendant les périodes de plus grande sécheresse, et de ne jamais geler même pendant les périodes de plus grand froid. Beaucoup, connues depuis la préhistoire, étaient dédiées à la déesse Brighid à l'époque druidique, puis à Diane par la suite ; souvent, elles ont été christianisées, comme en témoignent les nombreuses fontaines de sainte Hélène.

Certaines sont de simples sources à flanc de colline. D'autres se déversent dans un cirque de rochers ou dans un petit lac ; d'autres encore sont abritées sous une petite construction et on y accède par quelques

Site original de la fontaine de St Michael, à Well dans le Yorkshire. (Illustration d'Edna Whelan.)

marches. Une association intime s'est souvent constituée entre la source elle-même et les arbres qui l'entourent ou la surplombent — souvent des aubépines ou des sureaux.

À notre époque où l'eau est distribuée par des canalisations, nous nous représentons difficilement la signification et la valeur des sources d'eau pure. La pollution croissante de nos eaux potables nous rendra peut-être à une tout autre appréciation de la valeur des « fontaines sacrées » ; beaucoup, cependant, risquent d'avoir disparu en raison de la baisse du niveau de nos nappes phréatiques.

Les fontaines sacrées avaient d'autres fonctions, plus ésotériques, telles que la guérison. Une coutume voulait qu'on prélevât sur son vêtement un morceau de tissu qu'on trempait avant l'aube dans l'eau de la fontaine et qu'on accrochait en offrande à un arbre proche. Cette pratique s'est perpétuée en certains lieux. Celle, bien connue, qui consiste à jeter une épingle ou une pièce dans une fontaine et à faire un vœu est du même ordre. Les propriétés curatives des fontaines étaient souvent assez spécifiques ; elles couvraient tout un éventail de troubles mais concernaient plus particulièrement les troubles oculaires. Les malades étaient prêts à parcourir de longues distances pour bénéficier des eaux de telle ou telle fontaine. Il se pourrait que leurs propriétés aient un rapport avec l'homéopathie, des changements infimes de la composition chimique de l'eau pouvant avoir des effets curatifs particuliers.

La présence des énergies de la Terre ajoute aux fontaines une autre dimension. Comme le remarque Lethbridge et comme nous l'avons vu dans le contexte des apparitions de fées et de la Vierge Marie, des phénomènes sont souvent signalés à proximité des sources et des cours d'eau. Elles induisent parfois un état de somnolence, comme le raconte Devereux à propos de la fontaine sacrée de Sancreed, en Cornouailles, où la presque-totalité d'un groupe d'une quinzaine de personnes furent prises de torpeur ou s'endormirent. Et il ajoute :

Les vieilles sources et fontaines sacrées sont les interfaces traditionnelles de l'esprit de la Terre et cela peut être perçu presque physiquement en ces lieux, imprégnés d'une réelle sacralité. Des activités cérémonielles ou des rituels bruyants, ou même seulement très « physiques », constitueraient une violation grossière de tels sites. La rêverie semble y être la seule activité idéalement appropriée. S'il existe des lieux où l'on puisse rêver les rêves de la Terre, c'est bien au bord de ces eaux sacrées. Buvez l'eau du puits ou de la source, puis lovez-vous et endormez-vous près d'elle après avoir invoqué l'*anima mundi.* Plus que sur aucun autre site, c'est là qu'il faut visualiser l'esprit de la Terre sous la forme d'une déesse ; car les eaux sacrées, comme le remarque J.C. Cooper, sont traditionnellement le « symbole de la Mère éternelle, associées avec la naissance, le principe féminin, la matrice universelle, la *prima materia,* les eaux de la fécondité et de l'apaisement de la soif, et la fontaine de vie »[24].

Bob Dickinson décrit de façon évocative la source de Lud's Well, à Stainton-le-Vale, dans le Lincolnshire :

En dévalant une pente abrupte couverte de lierre, on accède à un séjour d'une merveilleuse grâce naturelle, où vibre avec force l'esprit de la Terre. Un dense et luxuriant tapis de fougères, la beauté du tableau et du chant de ces eaux sacrées cascadant par petites chutes créent une atmosphère absolument magique, une véritable retraite à l'écart du monde réel au-dessus.

Des deux sources, celle qui jaillit du flanc nord de la colline a le plus grand impact sensoriel. Des profondeurs de l'obscurité matricielle de la Mère-Terre, les eaux sourdent dans une petite nappe pour en déborder en une cascade miniature [32].

ARBRES ET BOSQUETS SACRÉS

Les arbres représentent l'élément aérien du paysage. Ils sortent de terre, mais ils s'épanouissent dans l'air. Chaque feuille est en contact avec lui et toute personne qui s'est trouvée dans un bois de hêtres par une nuit venteuse sait, au-delà du moindre doute, à quel élément les arbres appartiennent.

Les arbres et les bouquets d'arbres exercent sur moi une attraction d'autant plus particulière qu'ils symbolisent ma rencontre avec Earth Mysteries par l'intermédiaire de Tony Wedd. En 1949, alors qu'il vivait à Londres, il lut *The Old Straight Track* et, immédiatement après, il sortit pour une promenade vers Highgate Ponds, de l'autre côté de Parliament Hill :

… puis tournant vers Ken Wood et grimpant la colline, j'ai remarqué un pin isolé parmi les hêtres. « Un repère ! » ai-je pensé, absolument béat. Il se détachait nettement à dix pieds au-dessus des autres arbres, pareil à un drapeau en haut d'une forteresse, sa silhouette de champignon happant la lumière grâce à sa taille dominante.

Il me semble que, très souvent, la configuration même du paysage annonce l'angle sous lequel un repère devrait être abordé. C'est ainsi que j'eus le sentiment qu'Hampstead Heath était exactement le point de vue d'où cet unique *Pinus sylvestris* survivant était censé être vu. Imaginez avec quel ravissement, alors que j'examinais les alentours, j'ai aperçu, à moins de cinquante mètres sur ma gauche, *le* tumulus ! — le seul et unique, coiffé d'un pin sylvestre et entouré d'une couronne d'aubépine[124].

Relevant cet alignement sur une carte, Tony Wedd constata qu'il traversait l'abbaye de Westminster ; or, le site de Westminster s'appelait jadis Thorney Island (l'Île aux aubépines) en raison d'un repère bien connu — un buisson d'aubépine sacré. Tony Wedd commença à penser que cette laie était jalonnée d'aubépines sur les basses terres et de pins sur les hauteurs et que la double plantation autour du tumulus avait pour but d'annoncer le changement de signalisation.

S'installant dans le Kent, il entreprit d'en explorer la campagne et y découvrit régulièrement des bouquets d'arbres sur les hauteurs ou à proximité. Son appartement à Chiddingstone Castle lui ménageait une belle vue sur le nord et l'est et il remarqua bientôt un bouquet de pins qui se détachait sur l'horizon et attirait le regard en direction de One Tree Hill (la Colline à l'arbre unique), aujourd'hui totalement boisée ; et, de ce bouquet d'arbres situé à Chested, il pouvait voir, au-delà de Chiddingstone Castle, un autre bouquet d'arbres à Mark Beech. Par la suite, il développa cet axe dans les deux directions et, continuant à relever et photographier les bouquets d'arbres dans leur environnement, il découvrit petit à petit plusieurs autres alignements, y compris un système de parallèles allant de Sevenoaks Range à High Weald dans le Sussex. Ce qui semblait confirmer les observations de Watkins relatives au rôle de repères des pins sylvestres dans le Herefordshire et la proximité du pays de Galles[123].

156

Dans une large mesure, c'est à l'enthousiasme de Tony Wedd que je dois de m'être senti irrésistiblement attiré par les pins sylvestres, isolés ou en bouquets, non seulement en tant que possibles repères de laies, mais pour eux-mêmes. Je n'étais pas le premier et la légende semble confirmer la nature particulière du pin.

Frazer le mentionne comme objet de culte à Rome, pendant les festivals orgiaques de Cybèle et Attis lors de l'équinoxe de printemps. Il décrit un autre cérémonial où une image d'Osiris était enfermée dans le tronc évidé d'un pin et Frazer remarque qu'on « peut difficilement imaginer comment le concept de l'arbre comme habité par un être personnalisé pourrait être plus clairement exprimé[43] ».

Le pin était l'arbre sacré de Dionysos. Le dieu et ses adorateurs portaient souvent un bâton surmonté d'un gland qui apparaissait aussi sur de nombreuses amulettes et était considéré comme symbole de fertilité.

Selon Mirov et Hasbrouck, les pins étaient également considérés comme sacrés au Mexique et en Amérique centrale, où la résine odorante du « pin des dieux » était brûlée en offrande dans les temples. Ils ajoutent :

> Les Bouriates, un peuple mongol de la région du lac Baïkal au sud de la Sibérie orientale, considéraient souvent les bosquets de pins sylvestres comme sacrés. Ces « bois chamaniques » étaient dispersés dans la steppe. Avant la révolution soviétique de 1917, on les abordait et on les traversait en silence afin de ne pas offenser les dieux et les esprits[86].

Un des plus remarquables bouquets découverts dans un alignement par Tony Wedd est celui de Gil's Lap, au-dessus de la forêt d'Ashdown. Il est décrit avec émotion par A.A. Milne dans *The House at Pooh Corner* :

Ils marchaient, pensant à ceci et à cela et, finalement, ils arrivèrent, tout en haut de la forêt, en un lieu enchanté appelé Galleons Lap, un cercle de soixante et quelques arbres ; et Christopher Robin savait que c'était un lieu enchanté car personne n'était jamais parvenu à savoir s'il y avait soixante-trois ou soixante-quatre arbres, pas même en entourant l'un après l'autre d'un ruban les arbres dénombrés. Comme l'endroit était magique, son sol n'était pas comme le sol de la forêt, tout en fougères, en ajoncs et en bruyères, mais comme un tapis d'herbe serrée, lisse et vert et silencieux. C'était le seul endroit de la forêt où l'on pouvait s'asseoir sans crainte, sans avoir à se relever immédiatement pour chercher ailleurs une meilleure place. Assis en ce lieu, ils pouvaient voir le monde entier étalé sous leurs yeux jusqu'au ciel, et quoi que le vaste monde puisse contenir, tout était là, à Galleons Lap[85].

On peut difficilement faire mieux que cette description d'un bosquet sacré, avec son caractère propre, son atmosphère et ses légendes.

Je suis persuadé que les bosquets sacrés des druides remplissaient des fonctions identiques et en continuité avec les bouquets d'arbres-repères des laies. Dans le Wiltshire et le Somerset, Tony Wedd en découvrit certains qui, selon lui, étaient les vestiges de bosquets sacrés. Sa conviction reposait sur le fait que la plupart de leurs espèces ont été décrites par Robert Graves comme constitutives de l'alphabet et du calendrier oghamiques des Celtes, ce qui peut être indicatif de la présence d'un bosquet sacré[48].

Le maintien des bouquets d'arbres et des bosquets devient concevable si l'on prend en compte la pratique que j'ai décrite comme « entretien ». Consciemment ou inconsciemment, les populations locales ont reconnu le caractère sacré des arbres, isolés ou groupés en bouquets, et assuré leur survie. L'entretien se faisait jadis en des occasions déterminées, par un rituel particulier visant à maintenir tant les énergies subtiles que les caractéristiques physiques du site. Il se limitait à peu de choses — conserver les arbres et plantes appropriés et assurer leur croissance à l'exclusion de celle des autres.

Je soupçonne que cette tradition a été transmise au fil des générations dans des familles déterminées, mais qu'elle est en train de se perdre. Notre rôle pourrait donc être de perpétuer consciemment une pratique jadis plus instinctive. Et nous ne devrions pas tarder, car arbres et bouquets d'arbres disparaissent rapidement, victimes de notre négligence, aussi bien que du temps qui passe.

Il est possible qu'à l'époque médiévale, et même beaucoup plus récemment, certaines personnes aient, en connaissance de cause ou non, planté des arbres isolés ou en bouquets aux « bons » endroits. Mais un autre processus pourrait avoir contribué à les entretenir. Les actucls sites de bouquets d'arbres pourraient bénéficier de qualités éthériques spécifiques favorisant la croissance d'espèces ou de groupes d'espèces particuliers, grâce auxquels le paysage naturel et créé par l'homme a graduellement adopté la forme des courants d'énergie sous-jacents. Il est possible que les arbres et les bouquets que nous voyons aujourd'hui n'aient été plantés qu'au XVIIIe ou XIXe siècles à la faveur du renouveau d'intérêt pour les paysages, apparemment par le caprice d'un fermier ; mais certains bouquets pourraient aussi avoir survécu mieux que d'autres parce que de « bonnes » énergies telluriques leur ont permis de perdurer depuis des temps beaucoup plus reculés.

Il semble que chaque arbre et chaque espèce ait son esprit énergétique, visible par les sensibilisés et identique, apparemment, au champ morphogénétique de Sheldrake et à ce que les anciens textes sanskrits appellent *deva* (celui ou celle qui brille). Ce dernier terme est utilisé par Dorothy Maclean, de la Findhorn Community en Écosse. Elle a découvert qu'elle pouvait entrer en résonance avec les esprits de la nature et les *devas* éclairant certaines espèces ou certaines parties du paysage. Elle en reçut des instructions détaillées qu'elle suivit et, en conséquence, le fameux jardin s'épanouit dans les dunes de sable [78].

Les théosophistes affirmaient que les bosquets d'arbres adultes ont une courbe d'énergie qui aide à élever le niveau de conscience et, dans ce contexte, Mirov et Hasbrouck ont écrit ce qui suit sur les pins :

Les poètes ont, eux aussi, chanté la beauté des pins… Nous sommes tous exaltés et émus quand nous parcourons un bois de pins par une chaude journée estivale, quand les vieux arbres emplissent l'air de leur puissant effluve. Les grands feux d'aiguilles résineuses sont particulièrement fascinants. Assis autour du brasier qui étincelle, inhalant sa fumée odorante, nous nous sentons devenir philosophes et entamons de vieilles chansons nostalgiques… Longfellow parla si bien du « parfum des pins dans l'air de la nuit ». Chacun de nous devient poète dans un bois de pins [86].

Dion Fortune décrit le feu d'Azraël, fait de bois de santal, de cèdre et de genévriers, dont la senteur est supposée favoriser la clairvoyance [42]. De nombreuses personnes se sentent revigorées par l'odeur des pins, en raison, selon Paul Baines, de leurs essences volatiles, que les alchimistes considéraient comme l'âme de la plante [61]. Il semblerait que leur odeur affecte le corps éthérique, créant peut-être une atmosphère favorable à des états de conscience particuliers. Les peuples

160

anciens pourraient l'avoir constaté. L'aromathérapie opère sur la base de ce principe et on connaît l'utilisation de l'encens pour obtenir des effets spécifiques dans la méditation et les rituels.

L'aromathérapie consiste à recourir à des arômes naturels et des huiles essentielles d'une variété d'arbres, de buissons et de fleurs pour la guérison du mal-être ou de la maladie. Scott Cunningham a développé la pratique de l'aromathérapie magique, dans laquelle il les utilise pour obtenir stimulation de l'esprit, protection, purification et conscience parapsychique, aboutissant à ce qui pourrait être appelé des états de conscience magique [21].

Ainsi, la « géographie éthérique » ouvre une autre possibilité d'interprétation de notre environnement naturel, plus subtile et plus complète que les interprétations habituelles. Avec les naturalistes et les écologistes (dont certains parmi les meilleurs sont très au fait des nouvelles dimensions ajoutées à leur sujet), il devient possible d'agir consciemment dans un domaine jusqu'ici réservé à l'instinctif.

L'effet que les pins et autres arbres exercent sur les émotions de ceux qui les approchent a été théorisé dans les travaux du Dr Edward Bach, qui a mis au point une série de remèdes à base d'extraits de plantes, agissant directement sur l'état mental ou émotionnel de la personne [126].

Le radiesthésiste Havelock Fidler a constaté que le pin sylvestre agit comme interrupteur de courants d'énergie [38], et Paul Baines suppose que les arbres pourraient donc être capables d'attirer et d'absorber les courbes énergétiques de la maladie des individus ayant besoin de traitement ou de « rééquilibrage » de leurs énergies [61].

Peut-être que jadis, on n'apportait pas le remède au malade mais qu'au contraire le malade allait, dans la campagne, à la rencontre du remède dont il avait besoin ; et peut-être retrouverons-nous le pouvoir guérisseur de la nature en entretenant et en restaurant les vieux bouquets d'arbres.

Ian Taylor pense qu'ils pourraient agir comme une sorte de système respiratoire, attirant les énergies de la Terre pour les relâcher à travers l'aura combinée des arbres du bouquet, et exécuter la même fonction avec les stimuli célestes subtils. Dans un parallèle avec les travaux de Reich sur le corps humain, il établit un lien entre la santé des bouquets d'arbres et le libre courant d'énergie de la Terre, leurs blocages se manifestant par le *mal-aise*. Inversement, leur bien-être pourrait se transmettre au paysage environnant par une fonction comparable à celle des reins [109].

Tout ceci constitue une vision intégrative reliant notre santé et notre état d'esprit à ceux de notre environnement naturel. Elle nous engage à découvrir les sites anciens, chacun d'eux ayant son atmosphère unique que nous pouvons littéralement intégrer à notre être.

Peut-être n'est-il pas trop tard pour recréer ces atmosphères par une attitude active, en réintroduisant les plantes jadis présentes sur les sites anciens, afin qu'elles apportent, avec leurs parfums spécifiques, la note qui peut contribuer à la musique éthérique du site. Tous redeviendront alors des lieux vivants, dont le caractère évoluera avec le cycle des saisons. Les talents de l'aromathérapeute pourront alors se combiner à ceux de l'architecte paysagiste et du conservateur bénévole pour recréer des bosquets sacrés aux fonctions magiques et curatives spécifiques.

10

À l'écoute de la Terre

Je quitte la route carrossable sur les hauteurs de la lande et prends le chemin vert où affleurent le calcaire et le silex. Les bois se font plus proches et je m'engage sur la vieille piste. La trace énergétique de tous les êtres qui ont, littéralement, fait ce chemin avant moi imprègne sa matière même et mes pas sont réellement bien guidés.

Je m'arrête un moment près d'un vieux bosquet de hêtres qui n'est plus entretenu, mais la présence et la sérénité de ses arbres persistent. Peut-être qu'ici, de mémoire d'homme, d'anciens rites ont été célébrés, et pourraient l'être à nouveau. Les arbres attendent, ils sont prêts pour cette occasion.

Au bout de la vallée desséchée, je dévale le sentier vert, entre les vieilles haies d'aubépine et de sureau ; elles m'indiquent le chemin et m'encouragent à poursuivre sur la pente douce qui serpente vers le bas du coteau. La colline se referme un peu plus sur moi. Instinctivement, j'enlève mes chaussures pour sentir le tapis élastique de l'herbe sous mes pieds nus. Quelques buissons encore et je m'arrête un instant aux abords d'une zone sacrée ; seuls les lapins qui l'habitent la partagent avec moi. Dans le silence, je me sens à l'unisson avec tous ceux — passés et à venir — qui ressentent la beauté et le puissance inspiratrice de ce lieu.

Je reprends la descente de l'étroit chemin sous les arbres de la colline, vers le fond de la vallée ; puis, un dernier tournant, et une dernière pente douce vers la petite falaise calcaire. Je m'agenouille et bois l'eau régénératrice, stimulante de la fontaine sacrée.

Tout est silencieux — le soleil brille et, tandis que les branches des arbres se reflètent dans la nappe d'eau, je me sens enveloppé par l'universalité de la vie alors même que mon aptitude à l'exprimer s'évanouit dans l'expérience de l'infini[58].

Ces lignes, rédigées il y a quelques années à propos d'un site que je visite régulièrement, décrivent une des façons d'approcher les sites sacrés dans la campagne.

Comme je l'ai signalé auparavant, ma conviction est que le mouvement Earth Mysteries doit s'inscrire dans le présent, ce qui signifie que chacun de nous doit établir sa propre relation avec les sites sacrés. Lire dans son fauteuil ou faire des recherches à la bibliothèque ne suffit pas : il faut aller dans la nature et s'intégrer au paysage.

La Terre et ses sites sont nos meilleurs maîtres, quand nous leur permettons de l'être. Le problème est que, pour la plupart, nous vivons en ville. En effet, comme l'a dit un jour Paul Devereux : « Même quand nous habitons la campagne, nous ne sommes tous que des citadins. » Autrement dit, il ne s'agit pas seulement de résidence, mais aussi d'attitude. Nous avons « divorcé » de l'environnement naturel et de la campagne et l'une des conséquences est que nous risquons d'aborder les sites anciens dans une perspective de touriste — c'est-à-dire comme un spectacle.

Le tourisme peut être intéressant et je ne veux pas dire que nous devrions y renoncer ; mais il faut davantage pour approcher réellement la Terre et l'esprit de la Terre avec profondeur et dans l'espoir de résultats utiles.

Tout d'abord, nos buts devraient être clairs. Je crois que pour établir un contact avec l'esprit de la Terre, nous devrions aborder les sites sacrés plus dans l'esprit du pèlerinage que dans celui de la visite d'agrément. Oubliez donc pour un temps les attractions touristiques ; explorez plutôt votre région. Les sites ne sont peut-être pas impressionnants ; ils échappent souvent au regard et doivent être recherchés, ce qui exige du temps et de la persévérance ; mais vous serez surpris de voir ce que vous pouvez découvrir si vous vous consacrez à votre région.

Vous devrez impérativement vous livrer à une étude locale, car les sites sacrés diffèrent dans les diverses parties du monde. Ceux dont je parle ici se trouvent généralement dans celle que j'habite, mais les mêmes principes de recherche s'appliquent quelle que soit la vôtre. Vous trouverez partout des sites sacrés si vous vous mettez en phase avec l'esprit des lieux et si vos sens restent à l'affût.

Il s'agira peut-être d'une fontaine sacrée ou d'une borne de pierre oubliées, ou des restes d'un bouquet d'arbres négligé. Promenez-vous aux alentours, tenez-vous-en d'abord aux voies et chemins publics et voyez où ils mènent. Vous découvrirez aussi bien des sites que la manière de les approcher.

En visitant le secteur plusieurs fois, vous vous sentirez attiré par des lieux particuliers : ce sont ceux où vous rencontrerez l'esprit de la Terre. Laissez faire votre intuition, ouvrez votre cœur, et soyez honnête avec vous-même et avec le paysage.

C'est ce que Paul Devereux a appelé « être et voir ». Cela implique de se rendre sur un site sans instruments, sans baguette de sourcier, sans appareil photo, ni compteur Geiger ni même un crayon. Et sans idée préconçue. Contentez-vous d'y aller et de laisser le site vous instruire. Il se révélera un maître vivant[28].

Mais vous devriez d'abord solliciter l'accord de l'esprit du site, même si vous n'êtes pas directement conscient de cette entité. Puis donnez de vous-même. Si le site est abandonné, vous pouvez rétablir la pratique de l'entretien. Une fontaine sacrée peut devoir être débouchée, les alentours d'une borne débroussaillés afin qu'elle redevienne visible ; les espèces anciennes d'un bouquet d'arbres menacé et les plantes qui l'accompagnent peuvent avoir besoin d'être protégées. Ne serait-ce que ramasser régulièrement les détritus qui souillent un site est un geste positif d'affirmation de la vie.

Ces actions vous donneront la sensation d'avoir « adopté » un site ; et si vous agissez avec authenticité, si vos intentions sont dénuées d'arrière-pensées, vous en serez remercié. À sa propre façon, le site réagira en vous permettant de partager son trésor de sagesse et vous aurez amorcé un processus thérapeutique bilatéral.

Vous pouvez alors développer ce lien plus avant par des visites répétées, à des moments différents — à l'aube, à midi, au coucher du soleil, à minuit, à la pleine lune peut-être, ou lors des huit festivals druidiques saisonniers s'ils sont pratiqués dans la région. Vous éprouverez ou non, suivant votre inclination personnelle, le besoin de vous livrer à un rituel ; mais de toute manière, vous découvrirez l'esprit de la Terre comme aucun livre ne pourrait vous le faire découvrir.

L'essentiel est d'être ouvert au lieu : laissez-le vous parler jusqu'à ce que vous preniez conscience de son essence spirituelle. Faites-en alors votre lieu particulier en instituant votre rituel personnel, sous la forme qui vous convient le mieux et en suivant votre instinct. Des gestes que vous avez déjà faits, tels qu'aborder le site en suivant un chemin sacré ou le débarrasser des détritus qui s'y trouvent, en eux-mêmes constituent déjà un rituel. L'important est qu'il reste discret. Traitez le site avec respect. N'essayez pas de changer les choses, au moins, pas avant de les avoir comprises — et cela peut exiger toute une vie !

Nigel Pennick fait référence à une pratique ancienne consistant à se rendre dans un lieu de tout temps sacré, dans un endroit écarté et sauvage dont on ressent le pouvoir et à s'y asseoir pendant la nuit pour méditer ; ou à faire une sorte de pèlerinage le long d'une ancienne voie sacrée, ou encore à aller au hasard dans une région solitaire et y trouver un « bon endroit » pour s'y recueillir et méditer[94].

Je ne veux pas dire que la surveillance informatisée ou la baguette de sourcier sont inacceptables sur un site ancien ; mais plutôt que, dans la mesure du possible, nous devrions d'abord approcher les sites sans idée préconçue et les laisser nous parler, s'ils le souhaitent. Ce qui exige de la patience. Et je sais par expérience que, dans la pratique, il est plus facile d'en parler que d'y parvenir !

Le but est d'équilibrer l'utilisation des hémisphères cérébraux gauche et droit — analytique et intuitif. Cela nous est difficile parce que nous n'en avons pas l'habitude, préférant conserver ces types d'approches dans des compartiments séparés. Nous devons acquérir de nouveaux moyens d'intégrer ces deux approches.

Nous pouvons aborder les sites en examinant la façon dont nous les percevons à travers nos sens. Les traditions zen et taoïste ont toujours visé l'expérience directe par-delà les mots, et l'attention prioritaire accordée aux perceptions sensorielles plutôt qu'aux idées peut nous aider à atteindre cet état indispensable.

Jimmy Goddard a innové de façon créatrice en reliant les sites correspondant aux éléments par l'intermédiaire des sons. Visitant le bosquet de pins de Gill's

Lap, il lui sembla que le son du vent dans les arbres était très semblable à celui d'un torrent ou au crépitement d'un brasier. À l'examen, il constata que toutes ces sonorités se situaient dans une gamme de fréquences allant de 256 à 320 cycles par seconde, et spécula que ces sons pourraient faire l'objet d'une transduction pour intensifier le courant de la terre. Je crois qu'ils pourraient aussi être utilisés pour induire des états de conscience modifiés[61]. Bob Dickinson ajoute une autre dimension :

> À maintes reprises, j'ai marché autour de l'église, localisant à l'oreille le chant d'une fontaine à quelque distance (fontaine d'Ashwell), puis me concentrant sur celui du vent dans les branches hautes d'un cercle de pins sylvestres proche de la fontaine, puis les mêlant tous deux en une synthèse de son naturel pour produire un profond sentiment du lieu basé sur la perception auditive[31].

Il attire aussi l'attention sur l'aptitude des forces naturelles à produire dans la nature des sons tels que les « chants de mort » causés par la vibration des roseaux dans le vent[34]. Cela évoque le bourdonnement mystérieux, sans cause apparente, qui se produit de temps à autre sur les sites anciens : une de mes amies se souvient qu'étant enfant, alors qu'elle se promenait sur un vieux chemin, elle entendit le son du tonnerre provenant du sol ; aucune des amies qui l'accompagnaient n'entendit quoi que ce soit.

Nous utilisons constamment notre regard. Sir George Trevelyan suggère que nous le fassions de façon plus active : voir devrait être un acte positif au lieu de la simple réception passive d'images. Cette attitude n'entre pas en contradiction avec celle qui consiste à laisser un site nous parler ; elle éclaire seulement un autre aspect

168

de notre expérience. Il a avancé le concept de « rayon visuel » comme instrument de perception, avec lequel nous pouvons effectivement toucher et sentir les objets :

> La différence entre cette perception et la façon habituelle de voir peut sembler mince, mais elle est fondamentale ; car l'attitude mentale consistuée par la récognition du geste actif de diriger le « doigt de l'œil » pour toucher une structure est ressentie comme une extension véritable de la conscience très au-delà des limites du corps physique [112].

Nous avons déjà mentionné l'odorat dans notre examen des essences et parfums subtils émanant des arbres et des plantes d'un site. Le toucher est également un sens fondamental dans la mesure où il est plus facile d'en faire directement l'expérience en dépassant la barrière des mots et de la pensée. Nous pouvons déjà facilement, comme le suggère la citation ouvrant ce chapitre, aborder un site pieds nus pour éprouver notre lien direct avec la Terre. Mieux encore, si le site est suffisamment écarté pour le permettre, nous devrions nous dénuder complètement — nous retrouver « vêtus de ciel », comme disent les sorciers. Notre corps peut alors sentir directement le vent, la chaleur et le froid — pour la plupart d'entre nous, une expérience nouvelle qui, étrangement et pour cette raison même, nous rapproche de la nature. Nous pouvons toucher le site, en embrasser les arbres et les pierres. Il n'est pas trop extravagant de dire qu'ils ont besoin d'être aimés et nous accueillent volontiers.

Il ne peut y avoir de règles précises sur la manière d'aborder les sites. Nous ne pouvons que suivre notre instinct, en comprenant que nous faisons partie de la Terre ; alors nous saurons quelle conduite adopter.

11

Vers l'intégration

Ce livre s'ouvre sur l'image de notre planète Terre vue de l'espace et sur la prise de conscience que provoqua ce symbole vivide d'une conception holistique. Les recherches d'Earth Mysteries relèvent de cette conception et contribuent à montrer la place que nous occupons dans l'univers.

Nous avons commencé avec la « vieille piste rectiligne » qui nous a conduit directement, au cœur de la campagne, vers les lieux que les anciens tenaient pour particulièrement sacrés. Chemin faisant, nous avons entendu des légendes attachées à ces sites — souvenirs de pierres qui luisent et de fontaines qui guérissent et de rituels exécutés. Nous avons appris que, depuis des temps lointains, les hommes ont été conscients d'une énergie dans les éléments vivants du paysage ; que plus récemment, ils ont essayé de la comprendre et que l'idée qu'il s'agit réellement de l'énergie vitale de Gaia, la déesse Terre, gagne de plus en plus de terrain. Enfin, nous avons examiné les moyens de nous mettre en accord avec cette énergie en nous rendant sur les sites anciens où s'exprime son pouvoir.

C'est là l'essence d'Earth Mysteries : non pas le mystère pour le mystère, mais une récognition de la profondeur des expériences prenant place en ces lieux, où nous pouvons à nouveau entrer en contact avec la Terre à tous les niveaux et éprouver que nous ne faisons qu'un avec elle.

On peut concevoir les mystères de la Terre comme un ensemble de thèmes qui s'interpénètrent. Tous concernent notre relation à la Terre et comment les hommes ont ressenti son corps subtil à travers les énergies de l'environnement naturel.

L'ÉNERGIE VITALE DE GAIA

Des légendes anciennes aux actuelles recherches du projet Dragon, le thème de l'énergie est omniprésent. Bien que son existence soit incontestable, sa nature reste mal définie : s'agit-il simplement de forces connues dans un contexte inhabituel, ou de la manifestation d'une force plus fondamentale, reconnue par les parapsychiques et les mystiques à travers toute l'histoire de l'humanité ? La question reste ouverte.

Ce qui devient de plus en plus clair est que l'énergie perçue sur les sites anciens est une manifestation du corps subtil de Gaia, la déesse de la Terre. La Terre reconnue comme être vivant est un concept primordial pour le mouvement Earth Mysteries, dont le but est d'en explorer les implications à tous les niveaux de la conscience. C'est là que se nouent les liens entre Earth Mysteries et les mouvements motivés par la spiritualité et l'écologie.

Gaia, dont les énergies sont perceptibles dans son aura, est infiniment plus complexe, plus subtile et plus sage que nous ne le sommes. Des plus anciennes cosmologies aux chercheurs contemporains comme Rupert Sheldrake, tout indique invariablement que des entités vivantes existent sur des plans autres que physiques et qu'en fait, notre définition du « vivant » pourrait devoir être étendue pour inclure des choses apparemment aussi inanimées que la pierre.

LE PAGANISME

La Terre en tant qu'être vivant n'est pas un concept nouveau. En réalité, c'est la base de la « vieille religion » — la philosophie de tous les vieux peuples de la Terre, sous des formes et des nuances diverses, qu'on appelle paganisme. Ses principes essentiels incluent la conscience des dimensions cachées du paysage, incarnées par les dieux et déesses des temps anciens.

La conscience mène au savoir et tout naturellement, au respect de la Terre et de toutes les énergies vivantes. Le paganisme valorise ces qualités qui, dans notre culture, sont considérées comme « féminines », ainsi que la coopération avec les rythmes et le souffle de la Terre plutôt que l'exploitation de la planète et la compétition des uns contre les autres.

Le paganisme persiste aujourd'hui sous des formes diverses, y compris la sorcellerie. Les sorciers continuent à se rendre sur les vieux sites pour entrer en phase avec Gaïa dans ses diverses manifestations et atteindre ainsi le sentiment d'unité et de paix, comme le font d'autres individus et d'autres groupes païens contemporains.

En toute simplicité, individuellement ou en petits groupes, nous pouvons, en des moments particuliers, suivre d'anciennes voies sacrées vers des lieux magiques, au cœur de la campagne, et en faire l'expérience avec un esprit ouvert qui renonce à toute idée préconçue, en permettant aux énergies de se manifester en nous.

Le paganisme a les caractéristiques de ce que Joseph Campbell a appelé les « religions de type I » : elles

172

impliquent la récognition du fait que, dans l'univers, la création est un processus continu ; que le temps est non pas linéaire, mais cyclique ; qu'il n'y a pas de frontières entre le soi et le non-soi (par opposition à ce qu'Alan Watts [122] appelle « l'ego prisonnier de sa peau ») ; qu'il existe plus d'une seule « réalité » ; qu'un individu peut faire l'expérience de la « conscience cosmique » ; et que l'univers est vivant, la conscience et l'esprit y étant partout répandus [15].

LA PERSONNE ET LA PLANÈTE

En nous concentrant sur notre relation avec le corps subtil de la Terre, nous adoptons naturellement certaines attitudes envers elle et dans notre façon de vivre. La société industrielle fait partie de la Terre, mais elle se comporte comme s'il n'en était rien : d'où les problèmes écologiques. Cette conscience d'être un élément de la planète est peu répandue, en particulier chez ceux qui pratiquent ce que Joseph Campbell appelle les « religions de type II », dans lesquelles l'astrologue Robert Hand inclut les sciences mécanistes et matérialistes [54]. Si Earth Mysteries a un rôle à jouer, c'est bien de chercher à développer cette conscience de la Terre et à rétablir avec elle des liens plus profonds.

Dans tout ce livre, nous avons parlé de guérison, à propos du folklore entourant les pierres levées, des fontaines aux propriétés curatives, de l'acupuncture et de la thérapie par l'orgone de Wilhelm Reich. Guérir consiste à rétablir une circulation libre et équilibrée des énergies naturelles. De nombreux membres d'Earth Mysteries témoignent du pouvoir thérapeutique de la visite des sites anciens : fondamentalement, nous nous rendons perméables à l'énergie de la Terre vivante, aidés en cela par les lieux sur lesquels nous nous rendons et les gestes que nous y accomplissons. Le processus est d'ailleurs bilatéral : en devenant plus sains, nous devenons aussi plus aptes à baser nos décisions affectant la Terre sur des considérations plus profondes. En nous, le courant de la force vitale de Gaia nous permet de réaliser que nous ne faisons qu'un avec elle.

Ainsi, à l'inverse de la tendance des générations récentes et des sociétés modernes, mais en commun avec les mouvements écologistes, nous sommes amenés à retrouver l'environnement naturel et l'importance d'en conserver les détails subtils. Les énergies telluriques peuvent nous conduire à l'essence même de l'équilibre et du bien-être aussi indispensables à la planète qu'ils le sont à la personne humaine. Paul Devereux a comparé l'écologie sans géomancie à un corps sans âme [28] et, sans aucun doute, nous avons besoin de voir et de comprendre le paysage comme le firent Watkins et d'autres ancêtres — en nous y incluant nous-mêmes. Nous sommes une partie intégrante de Gaia, et non un élément séparé, et nos passés et nos avenirs sont indissociablement liés. Nous devons donc retrouver ses lieux secrets, les visiter et les respecter.

L'IMPORTANCE DU LIEU

Earth Mysteries affirme l'importance des lieux à l'encontre de la tendance contemporaine, qui a tant fait pour détruire leur caractère particulier et créer, selon l'expression de Nigel Pennick, « un cosmos désacralisé ».

S'intéresser aux mystères de la Terre, c'est explorer la nature et y redécouvrir les menhirs, les chemins et les fontaines oubliés, prendre conscience de la subtilité et de la sacralité de la géographie d'une région. Avec

174

l'appréciation des détails et des particularités oubliés, chaque endroit acquiert un surcroît de signification et nous pouvons alors connaître et considérer la Terre dans toute la richesse de sa diversité.

Le temps aussi prend plus de signification au fur et à mesure que notre attention se tourne vers les cycles de la nature et ceux, plus cachés, de l'esprit de la Terre. Nous en venons à une astrologie naturelle, basée sur l'expérience du climat changeant de l'être, sensible aux mouvements célestes.

LA CONSCIENCE

Notre principale difficulté dans la compréhension des temps préhistoriques est essentiellement liée à notre intelligence des différents états de la conscience. Pour Devereux, la conscience est un effet de champ pareil à celui d'un aimant qui organise autour de lui la limaille de fer. Cependant, les scientifiques admettent ne pratiquement rien savoir sur les champs. Comme les champs morphogénétiques de Sheldrake, ils semblent être à la base et plus fondamentaux que la matière.

Devereux remarque que certains des sites anciens furent construits par des êtres dont les buts différaient des nôtres ; et de plus, ils les réalisaient dans des états de conscience différents de ceux que nous connaissons lorsque nous visitons les sites aujourd'hui : par définition, l'état de conscience de l'homme de la préhistoire diffère de celui de l'homme d'aujourd'hui. Devereux l'assimile à celui de l'être qui s'éveille et essaie de retrouver les rêves de la nuit, le contenu de son inconscient[28].

Selon lui, de nombreux sites sacrés ont été utilisés dans des états de conscience modifiés obtenus par divers procédés ; et faute de comprendre la nature de ces états, il nous est impossible de comprendre totalement les sites. L'attitude du chamanisme, dans toutes ses manifestations, est ici cruciale dans la mesure où il associe conscience et sites anciens. Il remarque :

> Jusqu'à ce que les résultats des recherches actuelles sur la conscience soient connus, nous ne pouvons élucider complètement la question d'une planète effectivement consciente et sensible. La nature de la conscience est la clef du problème. C'est pourquoi les études pour en découvrir les secrets doivent devenir un élément primordial de la recherche géomantique[27].

L'ATTELAGE À DEUX CHEVAUX

Earth Mysteries prône une approche holistique soulignant les liens entre des domaines qui, pour les tenants de la culture de la division et de la classification, n'ont visiblement aucun rapport.

Par ailleurs, cette approche exige la participation de la totalité du cerveau. La recherche scientifique a montré qu'en général, l'hémisphère droit est utilisé pour les activités de type intuitif et celui de gauche pour les activités dites intellectuelles. Les techniques de bioanalyse rétroactive démontrent que la plupart d'entre nous n'utilisent pas ces deux hémisphères de façon équilibrée. Il est vrai que les sociétés industrialisées encouragent surtout l'activité de l'hémisphère gauche et répriment celle du cerveau droit. Mais les deux doivent intervenir en vue d'une expérience complète des sites sacrés et d'une compréhension de ce qu'ils représentaient pour nos ancêtres.

Devereux a comparé le cerveau humain à un attelage à deux chevaux : si l'un d'eux tire plus que l'autre, l'attelage tourne en rond. Pour que l'esprit progresse, les deux côtés du cerveau doivent « tirer » de la même façon[23]. Cette intégration de l'analytique et de l'intuitif — travaillant de concert pour réaliser une perception plus complète — n'est pas seulement importante pour les activités du domaine d'Earth Mysteries : elle est cruciale pour la survie de la planète. En raison de ses centres d'intérêt et de ses conceptions, le mouvement Earth Mysteries peut constituer la perspective inspirée dont nos sociétés ont tellement besoin.

Cette nécessité d'équilibre s'exprime en Chine depuis des milliers d'années dans le concept *yin/yang,* où les opposés se rejoignent dans une unité qui ne peut être considérée comme complète que si les deux aspects sont pris en compte. Earth Mysteries présente un aspect actif et un aspect passif, avec l'analyse informatisée des sites d'une part et, d'autre part, ce que Devereux a appelé « être et voir ». Ces deux approches sont également valables, la première plus *yang* et la seconde plus *yin.*

RECTITUDE ET SINUOSITÉ

On a parfois écrit que les laies sont un exemple d'oppression dans les sociétés préhistoriques et une tentative d'utilisation des énergies telluriques à des fins égoïstes[6]. Bien que la ligne droite soit un élément naturel, il est vrai qu'elle est souvent un indice d'autorité et de domination. Jim Kimmis[66] a attiré l'attention sur la racine *reg* présente dans un grand nombre de termes désignant à la fois ligne droite et position d'autorité, le mot anglais *ruler,* par exemple, ayant le sens de « règle » et « dirigeant ». Le même raisonnement s'applique aux mots français *règle, régir, rectitude,* etc.

L'argument est valable, mais la sinuosité et la rectitude sont toutes deux des principes fondamentaux de

177

l'univers. Les lignes droites et courbes existent toutes deux dans la nature de même que dans la géométrie sacrée. Toutes deux font partie de l'univers et doivent être acceptées comme telles.

Earth Mysteries s'intéresse à la « personnalité » des lieux et des routes plutôt qu'à des régions prises dans leur ensemble. Les routes sont les vecteurs du mouvement et de la circulation, alors que les régions sont défendues et tenues. Pour nous mettre plus pleinement à l'unisson avec la Terre, nous devons être plus conscients des voies et des courants et cette préoccupation doit se refléter aussi bien dans notre attitude vis-à-vis de l'évolution spirituelle que dans des domaines pratiques comme celui de l'urbanisme.

Le mot de la fin

En écrivant ce livre, mon but était de mettre en valeur le thème dominant dans tous les sujets qui constituent les « mystères de la Terre ». J'espère y être parvenu.

Le mouvement Earth Mysteries est à un stade où il reflète les centres d'intérêt de ses membres. Vous pouvez lui apporter une contribution personnelle valable en explorant votre région, en redécouvrant d'anciens sites, en retrouvant des légendes au fond des bibliothèques et en rencontrant les populations locales, qui ont encore beaucoup de savoir et de sagesse à communiquer. Au fil du temps, en vous inspirant des suggestions de ce livre, vous vous découvrirez capable d'entrer plus étroitement en contact avec la Terre. Si votre approche est bonne, la Terre elle-même vous enseignera beaucoup de choses.

En apprenant à vivre selon les rythmes de l'esprit de la Terre, nous pourrons intégrer les différents aspects de notre vie et prendre conscience de faire véritablement partie de l'intégralité de son être. La plus certaine contribution d'Earth Mysteries est de participer à cette prise de conscience.

RÉFÉRENCES

1. Addey, J.M. *Harmonics in Astrology,* Fowler, 1976.
2. Appleton, J.H. *The Experience of Landscape,* Wiley, 1975.
3. Baigent, M., Campion N. et Harvey, C. *Mundane Astrology,* Aquarian, 1984.
4. Bentine, M. *The Door Marked Summer,* Granada, 1981.
5. Bentov, I. *Stalking the Wild Pendulum,* Wildwood House, 1978.
6. Billingsley, J. "Anarcheology", in *Northern East Mysteries* n° 9, octobre 1980.
7. Black, W.H. *Selected Works,* Institute of Geomantic Research, 1976.
8. Bleakley, A. Interview à *The Ley Hunter,* Moot, 1983.
9. Bligh Bond, F. *The Gate of Remembrance,* Blackwell, 1918.
10. Boadella, D. *Wilhelm Reich : The Evolution of his Work,* Vision, 1973.
11. Bord, J. et C. *The Secret Country,* Elek, 1976.
12. Brennan, M. *The Boyne Valley Vision,* Domen, 1980.
13. Brooker, C. "Magnetism and the Standing Stones", in *New Scientist,* 13 janvier 1983.
14. Caine, M. *The Kingston Zodiac,* Grael, 1978.
15. Campbell, J. *The Masks of God* (4 vol.), Penguin, 1976.
16. Castle, C. "Megaliths in the Senagambia", in *The Ley Hunter,* n° 85, décembre 1979.
17. Cole, T. "One of the Durham Zodiacs", in *The Ley Hunter* n° 14, décembre 1970.
18. Cooper, J. *The Case of the Cottingley Fairies,* Hale, 1990.
19. Cooper, J.C. *An Illustrated Encyclopaedia of Traditonal Symbols,* Thames and Hudson, 1978.
20. Cozzi, S. *Planets in Locality,* Llewellyn, 1988.
21. Cunningham, S. *Magical Aromatherapy,* Llewellyn, 1989.

22. de Bono, E. *Practical Thinking,* Jonathan Cape, 1971.
23. Devereux, P. *Earth Lights,* Turnstone, 1982.
24.   *Earthmind,* Harper and Row, 1989.
25.   *Earth Lights Revelation,* Blandford, 1989.
26.   *Places of Power,* Blandford, 1990.
27.   Article in *The Ley Hunter* n° 112, printemps 1990.
28.   Communication personnelle à l'auteur.
29.   et Thomson, I. *The Ley Hunter's Companion,* Thames and Hudson, 1979.
30.   et York, A. "Portrait of a Fault Area", in *The News* n°s 11 et 12, 1975.
31. Dickinson, R. "Kirton Lindsey Holy Wells", in *Markstone* n° 3, été 1990.
32.   "Lud's Well, Stainton-le-Vale", in *Markstone* n° 3, été 1990.
33.   "Sacred Resonance", in *Markstone* n° 4, Samhain 1990.
34.   "Sounding the Landscape", in *Markstone* n° 4, Samhain 1990.
35. Duke, E. *The Druidical Temples of the County of Wilts,* 1846.
36. Edwards, L. "The Welsh Temple of the Zodiac", in *Research* vol. 1, n° 2, juillet/août 1948.
37. Eitel, E.J. *Feng Shui,* Trübner, 1873.
38. Fidler, J.H. *Ley Lines - Their Nature and Properties,* Turnstone, 1983.
39. Findhorn Community, *The Findhorn Garden,* Turnstone/ Wildwood House, 1976.
40. Forrest, R. et Behrend, M. *The Coldrum Ley : Chance or Design ?* Forrest, 1986.
41. Fortune, D. *The Goat-Foot God,* William and Norgate, 1936.
42.   *The Sea Priestess,* Aquarian, 1957.
43. Frazer, J.G. *The Golden Bough,* Macmillan, 1922.
44. Fuchs, R.H. *Richard Long,* Thames and Hudson, 1986.
45. Gatsby P. et Hutton-Squire, C. "A Computer Study of Megalithic Alignments", in *Undercurrents* n° 17, août/septembre 1976.
46. Geall, D. *London's Terrestrial Zodiac* (publié à compte d'auteur).
47. Goddard, J. "Earth Energy : Ten Years' Study", in *Northern Earth Mysteries* n° 10, solstice d'hiver 1980.
48. Graves, R. *The White Goddess,* Faber and Faber, 1952.

49. Graves, T. *Needles of Stone,* Turnstone, 1978.
50.   *Towards a Magical Technology,* Gateway, 1986.
51.   et J. Hoult, *The Essential T.C. Lethbridge,* Routledge and Kegan Paul, 1980.
52. Green, M. *A Harvest of Festivals,* Longman, 1980.
53. Grinsell, L.V. *Folklore of Prehistoric Sites in Great Britain,* David and Charles, 1976.
54. Hand, R. "Astrology as a Revolutionary Science" in A.T. Mann, *The Future of Astrology,* Unwin Hyman, 1987.
55. Hawkins, G.S. *Stonehenge Decoded,* Souvenir, 1966.
56. Heselton, P. *The Holderness Zodiac,* Hull, 1977.
57.   "A Morphological Approach to the Study of Terrestrial Zodiacs", in *Ancient Mysteries* n° 17, hiver 1980.
58.   "Landscape Energy and Experience", in *Northern Earth Mysteries* n° 10, solstice d'hiver 1980.
59.   "Experiencing the Subtle Geography of the Earth", in *Northern Earth Mysteries* n°s 16 et 18, février et juillet 1982.
60.   "Tony Wedd : New Age Pioneer", in *Northern Earth Mysteries,* 1986.
61.   J. Goddard et P. Baines, *Skyways and Landmarks Revisited,* Northern Earth Mysteries/ Surrey Earth Mysteries, 1985.
62. Hitching, F. *Earth Magic,* Cassell, 1976.
63. Hodson, G. *Fairies at Work and at Play,* Theosophical Publishing House, 1925.
64. Howard, M. *Earth Mysteries,* Hale, 1990.
65. Kilner, W.J. *The Human Atmosphere,* Kegan Paul, 1911.
66. Kimmis, J. "The King's Highway", in *The Ley Hunter* n° 89, 1980.
67. Koop, K.H. *The Earliest Survey,* Research Centre, 1945.
68. Lacey B. et Bruce, J. *Journey round the Glastonbury Zodiac,* Lacey and Bruce, 1978.
69. Larkman, B. "Walbiri Ways of Seeing", in *Northern Earth Mysteries* n° 4, février 1980.
70.   "The York Ley" in *The Ley Hunter* n° 100, hiver/printemps 1986.
71.   Communication personnelle à l'auteur.
72.   et Heselton, P. *Earth Mysteries : An Exploratory Introduction,* Northern Earth Mysteries, 1985.

73. Lawton,A. *Mysteries of Ancient Man,* 1938, réédité par Paul Screeton, 1971.
74. Lockyer, N. *Stonehenge and Other British Monuments Astronomically Considered,* Macmillan, 1906.
75. Lonegren, S. *Spiritual Dowsing,* Gothic Image, 1986.
76. Lovelock, J. *Gaia : A New Look at Life on Earth,* Oxford University Press, 1979.
77. MacKie, E.W. *Science and Society in Prehistoric Britain,* Elek, 1977.
78. Maclean, D. *To Hear the Angels Sing,* Findhorn, 1980.
79. Maltwood, K. *A Guide to Glastonbury's Temple of Stars,* James Clarke, 1964.
80. Maxwell, D. *A Detective in Surrey,* The Bodley Head, 1932.
81. Mitchell, J. *City of Revelation,* Garnstone Press, 1972.
82.   *The Old Stones of Land's End,* Garnstone Press, 1974.
83.   *The Earth Spirit,* Thames and Hudson, 1975.
84.   *A Little History of Astro-Archeology,* Thames and Hudson, 1977.
85. Milne, A.A. *The House at Pooh Corner,* Methuen, 1928.
86. Mirov N.T. et Hasbrouck, J. *The Story of Pines,* Indiana University Press, 1976.
87. Morrison, T. *Pathways to the Gods,* Michael Russell, 1978.
88. Murray, M. *The God of the Witches,* Sampson Low, 1931.
89. Naddair, K. Interview à *Northern East Mysteries,* Moot, 1990.
90. Nicholson, J. *Folk Lore of East Yorkshire,* 1890.
91. Pennick, N. *Nuthampstead Zodiac,* Th'Endsville, 1972.
92.   *The Mysteries of King's College Chapel,* Thorsons, 1978.
93.   *British Geomantic Pioneers 1570-1932,* Institute of Geomantic Research, 1982.
94.   *Practical Magic in the Northern Tradition,* Aquarian, 1989.
95.   et Devereux, P. *Lines on the Landscape,* Hale, 1989.
96. Perrin, J. "Interview de John Gill" in *High* n° 43, juin 1986.
97. Ragland Phillips, G. *Brigantia,* Routledge and Kegan Paul, 1976.
98.   *The Unpolluted God,* Northern Lights, 1987.
99. Reeder, P. Communication personnelle à l'auteur.

100. Reichenbach, K. von *The Mysterious Odic Force,* Aquarian, 1977.
101. Robins, D. *Circles of Silence,* Souvenir 1985.
102. Russell, G.W. (dit AE), *The Candle of Vision,* Macmillan, 1918.
103. Screeton, P. "Mysterious Energies" in *Undercurrents* n° 11, mai/juin 1975.
104.   *The Lambton Worm and Other Northumbrian Dragon Legends,* Zodiac House, 1978.
105. Sheldrake, R. *A New Science of Life,* Blond and Briggs, 1981.
106. Skinner, S. *The Living Earth Manual of Feng Shui,* Routledge and Kegan Paul, 1982.
107. Smith, R.A. "Archeological Dowsing" in *Journal of the British Society of Dowsers* III, juin 1939.
108. Smith, W. *Ancient Springs and Streams of the East Riding of Yorkshire,* Browns, 1923.
109. Taylor, I. *The All Saints' Ley Hunt,* Northern Lights, 1986.
110.   *The Giant of Penhill,* Northern Lights, 1987.
111. Thom, A. *Megalithic Sites in Britain,* Oxford University Press, 1967.
112. Trevelyan, G. *The Active Eye in Architecture,* Wrekin Trust, 1977.
113. Trubshaw, R. "Are Earth Mysteries Art ?" in *Markstone* n° 4, Samhain, 1990.
114. Tyler, F.C. *The Geometrical Arrangement of Ancient Sites,* Simpkin Marshall, 1939.
115. Underwood, G. *The Pattern of the Past,* Muscum Press, 1969.
116. Watkins, Alfred. *Early British Trackways,* Simpkin Marshall, 1922.
117.   *The Old Straight Track,* Methuen, 1925.
118.   *The Ley Hunter's Manual,* Simpkin Marshall, 1927.
119. Watkins, Allen. "My First Ley Hunt" in *The Ley Hunter* vol. 1, n° 3, 1965.
120.   "The Straight Path of Wisdom Teaching" in *The Ley Hunter* n° 18, 1971.
121.   *Alfred Watkins of Hereford,* Garnstone Press, 1972.
122. Watts, A. *The Book on the Taboo Against Knowing Who You Are,* Jonathan Cape, 1969.
123. Wedd, J.A.D. *Skyways and landmarks,* The Star Fellowship, 1961.

124.   "The Path" in *The Ley Hunter* n° 5, mars 1970.
125.   "Allotechnology : The Science that Got Here First" in *The Ley Hunte* n° 7, mai 1970.
126. Weeks, N. *The Medical Discoveries of Edward Bach, Physician,* C.W. Daniel, 1940.
127. Westlake, A. *The Pattern of Health,* Stuart, 1961.
128. Wheaton, J. "The Meridians of Man" in *The Ley Hunter* n° 11, 1970.
129. Whelan, E. et Taylor, I. *Yorkshire Holy Wells and Sacred Springs,* Northern Lights, 1989.
130. Wildman, S. "The Age of the Glastonbury Zodiac" in *Terrestrial Zodiacs Newsletter* n° 6, mai 1979.

GLOSSAIRE

Acupuncture : guérison par stimulation, à l'aide d'aiguilles, de points spécifiques du corps humain situés sur les méridiens, parcours des courants d'énergie subtile.

Allotechnologie : technologie « alternative » utilisant les principes de la « libre énergie ».

Archéologie parapsychique : utilisation de moyens parapsychiques pour obtenir des informations sur des lieux et/ou des époques qui ne nous sont pas ou plus directement accessibles.

Archétypes : principes fondamentaux faisant partie de « l'inconscient collectif » qui se manifestent dans nos rêves et nos états de veille.

Astrologie harmonique : branche de l'astrologie développée par John Addey, basée sur la division des paramètres de l'astrologie par des nombres entiers.

Aura : champ d'énergie subtile rayonnant autour d'un être vivant, perceptible par les « sensibilisés ».

Avenue : allée d'accès à un monument mégalithique, bordée de menhirs.

Cairn : monticule artificiel, le plus souvent fait de pierres sèches.

Ceridwen : déesse galloise dont le chaudron donnait la connaissance et l'inspiration.

Chakras : centres d'énergie reliant les corps subtils au corps physique. Du mot sanskrit signifiant « roues ».

Chaman : personne capable de voir et de pénétrer par l'extase ou la transe les domaines subtils, ou plans intérieurs, à des fins thérapeutiques.

Champ : secteur de l'espace, généralement autour d'un être ou d'un objet, dans lequel prennent place certains événements qui lui sont liés. À ce jour, aucune explication physique n'en a été démontrée.

Ch'i : terme chinois pour désigner l'énergie subtile dans le paysage et le corps humain.

Cône de pouvoir : énergie accumulée par les sorciers utilisant un cercle magique.

Coupe et anneaux : motif récurrent gravé dans la pierre, datant sans doute de l'âge du bronze, constitué d'un creux en forme de coupe et d'anneaux concentriques.

Cromlech : cercle mégalithique de pierres levées, ayant souvent comporté un tumulus à l'origine.

Deva : mot sanskrit signifiant « celui ou celle qui brille »; aujourd'hui appliqué aux entités énergétiques archétypales, formatrices d'une espèce ou éclairant un secteur géographique.

Dolmen : chambre funéraire mégalithique, ayant parfois comporté un tumulus.

Dragon (projet) : série d'études concertées entreprises par des chercheurs de différentes disciplines, s'étant rassemblés autour du Ley Hunter pour tenter d'identifier l'énergie de la Terre.

Élémental : esprit de la nature ayant les caractères de l'un des éléments. Parfois aussi, désigne une structure idéelle.

Éléments : le feu, la terre, l'air et l'eau — conditions de base de l'existence auxquelles tout peut être rapporté. Parfois, un cinquième élément s'y ajoute — l'éther.

Énergie (libre) : expression employée par Tony Wedd pour désigner des énergies telluriques et cosmiques qui peuvent actionner certains appareils.

Éphémérides : tables utilisées par les astrologues, où figurent les coordonnées des astres et planètes et autres informations.

Éther : cinquième élément, censé imprégner tout l'univers.

Feng Shui : système chinois qui tient compte des courants d'énergie et des formes dans le paysage. Il comporte des méthodes pour modifier ces formes afin d'améliorer le « climat énergétique » des sites.

Fogou : chambre funéraire souterraine en Cornouailles.

Gaia : déesse grecque de la Terre ; de nos jours, le Dr James Lovelock y a fait référence pour décrire la totalité du biosystème de la planète, qui semble avoir la capacité d'entretenir les conditions optimales du maintien de la vie.

Géomancie : science consistant à mettre l'habitat et les activités humaines en harmonie avec le monde visible et invisible qui nous entoure.

Géométrie sacrée : s'exprime dans la structure architecturale afin qu'elle entre en « résonance » avec les énergies de la Terre, affectant ainsi les êtres qui la pénètrent, en particulier s'ils y sont sensibilisés ou en phase avec elle.

Hexagramme : étoile à six branches constituée de deux triangles équilatéraux, et signifiant : « Ce qui est en haut est comme ce qui est en bas ».

Holistique : l'approche holistique implique la récognition du fait que nous ne faisons qu'un avec tout l'univers.

Kiva : chambre cérémonielle de certaines tribus améridiennes du sud-ouest des États-Unis.

Labyrinthe : motif géométrique, souvent très complexe, dans lequel un seul trajet mène de l'extérieur au centre. Les labyrinthes existent dans toute l'Europe et ont peut-être eu une fonction rituelle ou favorisant la méditation.

Laies : alignements de sites anciens, ainsi nommés par Alfred Watkins en 1921, et que d'autres avaient remarqués avant lui.

Macrocosme : l'ensemble de l'univers.

Magie : selon la définition d'Aleister Crowley, « la science et l'art de provoquer des changements en conformité avec " la volonté " ».

Mana : énergie subtile du corps humain, selon les Kahunas d'Hawaii.

Mégalithe : grand bloc de pierre ou monument composé de plusieurs d'entre eux.

Menhir : monument mégalithique fait d'un bloc de pierre unique à la verticale.

Métrologie : science des mesures. Dans le cadre d'Earth Mysteries, particulièrement appliquée à celles utilisées dans la construction des cromlechs, des cathédrales ou autres sites sacrés.

Microcosme : manifestation, en particulier dans l'être humain, d'aspects particuliers du macrocosme, selon le principe occulte « Ce qui est en haut est comme ce qui est en bas ».

Morphogénèse : littéralement, évolution des formes. Rupert Sheldrake suggère que la forme, le développement et le comportement des organismes vivants sont commandés par des champs morphogénétiques d'un type que la science n'a pas encore identifié.

Néolithique : dernière partie de l'âge de pierre. Période de construction des mégalithes (environ du IXe au VIe millénaire avant notre ère).

Numérologie : étude des nombres et de leurs relations, attachant une importance particulière aux propriétés mystiques de certains nombres.

Od, odyle, force odique : mots utilisés indifféremment par le baron Karl von Reichenbach pour désigner l'énergie subtile qu'il a découverte.

Önd : nom de l'énergie subtile dans la tradition nordique.

Orgone : nom donné à l'énergie subtile découverte par Wilhelm Reich, qui imprègne toute chose vivante et désignée par divers termes dans toute l'histoire.

Paganisme : religions de la Nature, en particulier celles où la Terre est perçue comme un être vivant, comme dans la sorcellerie.

Pentagramme : étoile à cinq branches.

Prana : nom sanskrit de l'énergie subtile.

Tellurique (force) : terme particulièrement utilisé par les radiesthésistes pour désigner l'énergie de la Terre.

Tumulus : chambre funéraire, généralement recouverte de terre et datant de l'âge du bronze.

Yin et yang : représentation de la rupture fondamentale en deux de l'unité du Tao, origine de toute chose, selon la doctrine taoiste. Tous les aspects de l'univers, physiques ou subtils, contiennent obligatoirement leur opposé et peuvent y être confrontés.

Zodiaques terrestres : motifs dans le paysage, souvent étendus sur plusieurs kilomètres, qui constituent des figures du zodiaque. On situe leur construction tantôt au Moyen-Âge, tantôt aux temps préhistoriques. Le premier fut découvert par Katherine Maltwood à Glastonbury dans les années 20.

LECTURES COMPLÉMENTAIRES

De nombreux livres existent en Grande-Bretagne sur les thèmes des mystères de la Terre. La sélection ci-dessous est subjective. Certains des livres qui y figurent sont épuisés mais peuvent être disponibles chez les bouquinistes et dans les bibliothèques.

GÉNÉRALITÉS :

Paul Screeton, *Quicksilver Heritage,* Thorsons 1974. Bonne introduction par l'ex-rédacteur en chef du *Ley Hunter.*
Paul Devereux, *Earth Memory,* Quantum 1991. Panorama complet et à jour de l'ensemble du sujet par l'actuel rédacteur en chef du *Ley Hunter.*
John Michell, *The New View over Atlantis,* Thames and Hudson 1983. Édition révisée et mise à jour de son livre de 1969, particulièrement axée sur la numérologie et la géométrie sacrée.
Francis Hitching, *Earth Magic,* Cassell 1976. Aspects archéologiques et astrologiques, radiesthésie et résultats de certaines des premières recherches entreprises sur les énergies des sites sacrés.
Michael Howard, *Earth Mysteries,* Hale 1990. Introduction à l'astro-archéologie, zodiaques, pyramides, etc.

SUR LES LAIES :

Alfred Watkins, *The Old Straight Track,* Methuen 1925 ; réédité par Garnstone 1970. Le grand classique.
Alfred Watkins, *The Ley Hunter's Manual,* Simpkin Marshall 1927 ; réédité par Turnstone 1983. Guide pratique concis, encore très utile.
Paul Devereux et Ian Thomson, *The Ley Guide,* Empress 1987. Condensé plein de détails pratiques. Bien illustré, avec cartes et photographies.

Nigel Pennick et Paul Devereux, *Lines on the Landscape — Leys and Other Linear Enigmas,* Hale 1989. Mise à jour sur l'histoire des laies et autres lignes dans le monde entier.

FOLKLORE :

Janet et Colin Bord, *The Secret Country,* Paul Elek 1976. Excellent recueil de légendes associées à des sites britanniques.
Leslie V. Grinsell, *Folklore of Prehistoric Sites in Britain,* David and Charles 1976. Les thèmes principaux du folklore, avec un index des sites anciens et de leurs légendes.

ÉNERGIES TELLURIQUES :

John Michell, *The Earth Spirit,* Thames and Hudson 1975. Brillant essai sur le sujet pour commenter un recueil de photographies remarquables.
Tom Graves, *Needles of Stone Revisited,* Gothic Image 1986. Pratique et spéculatif ; sur les énergies, l'acupuncture, le *feng shui,* le paganisme, etc.
Paul Devereux, *Earth Lights,* Turnstone 1982, et *Earth Lights Revelation,* Blandford 1989. Relation sur les ovnis ; lien entre activité tectonique et cromlechs. Beaucoup d'informations inédites.
Paul Devereux, *Places of Power,* Blandford 1990. Sous-titré "Secret Energies at Ancient Sites : A Guide to Observed or Measured Phenomena". Résultats des travaux du projet Dragon.

RADIESTHÉSIE :

Tom Graves, *The Diviner's Handbook,* Aquarian 1986. Guide de la rathiesthésie par la baguette.
Tom Graves, *The Elements of Pendulum Dowsing,* Element Books 1989. Guide pratique de la radiesthésie par le pendule.
Guy Underwood, *The Pattern of the Past,* Museum Press 1969. Un classique, détaillant méthode et résultats de l'auteur.
Sid Lonegren, *Spiritual Dowsing,* Gothic Image 1986. Bonne introduction à la radiesthésie, axé sur les énergies telluriques et la guérison.

ARCHÉOLOGIE PARAPSYCHIQUE :

Jeffrey Goodman, *Psychic Archeology,* Granada 1979. Les figures historiques — Bligh Bond, Edgar Cayce — et exemples américains contemporains.

192

ARCHÉO-ASTRONOMIE :

John Michell, *A Little History of Astro-Archeology,* Thames and Hudson 1977. Un condensé concis et bien illustré.

GÉOMANCIE ET GÉOMÉTRIE SACRÉE :

Nigel Pennick, *The Ancient Science of Geomancy,* Thames and Hudson 1979. Guide des principes et applications pratiques ; très bien illustré. Facile à lire.
Nigel Pennick, *Sacred Geometry,* Turnstone 1980. Sous-titré : "Symbolism and Purpose in Religious Structures". Approche chronologique du sujet.

LABYRINTHES :

Nigel Pennick, *Mazes and Labyrinths,* Hale 1990. Etude complète du sujet ; index des labyrinthes existants.

FENG SHUI :

Stephen Skinner, *The Living Earth Manual of Feng Shui,* Routledge and Kegan Paul 1982. Bonne présentation des différentes « écoles ».

FONTAINES SACRÉES :

Janet et Colin Bord, *Sacred Waters - Holy Wells and Water Lore in Britain and Ireland,* Granada 1985. Comprend une liste de deux cents fontaines sacrées.

SURVIVANCES PAÏENNES DANS LES ÉGLISES ANGLAISES :

Guy Ragland Phillips, *The Unpolluted God,* Northern Lights 1987. Très stimulant pour l'esprit et l'imagination.

L'ABORD DES SITES SACRÉS :

Marian Green, *The Elements of Natural Magic,* Element Books 1989. Excellent guide plein de sagesse d'un auteur qui maîtrise toujours ses sujets.

PHILOSOPHIE :

Paul Devereux (avec John Steele et David Kubrin), *Earthmind,* Harper and Row 1989. De la Gaia de Lovelock aux recherches sur la conscience.

Il existe aussi une cassette vidéo, *Geosophy,* de Paul Devereux : Interviews de chercheurs étudiant les mystères de la Terre (Empress Ltd).

En Grande-Bretagne, ces livres peuvent être commandés aux librairies ci-dessous :

The Atlantis Bookshop, 49a Museum Street, Londres WC1A 1LY ; Compendium, 234 Camden High Street, Londres NW1 8QS ; Gothic Image, 7 High Street, Glastonbury, Sommerset BA6 9DP.

Vente par correspondance :
Empress Ltd, PO Box 92, Penzance, Cornwall TR18 2XL.

ADRESSES :

The Ley Hunter : PO Box 92, Penzance, Cornwall TR18 2XL
Northern Earth Mysteries : John Billingsley, 10 Jubilee Street, Mytholmroyd, Hebden Bridge, West Yorkshire HX7 5NP
Markstone : Jane et Bob Dickinson, Glebe Farm, Fen Road, Owmby-by-Spital, Lincoln LN2 3DR
Touchstone : Jimmy Goddard, 25 Albert Road, Addlestone, Weybridge, Surrey KT15 2PX
Meyn Mamfro (Cornish Earth Mysteries) : Cheryl Staffron, 51 Carn Bosavern, St Just, Penzance, Cornwall TR19 7QX
Mercian Mysteries : Paul Nix, 12 Cromer Road, St Anns, Nottingham NG3 3LF
Gloucester Earth Mysteries : Danny Sullivan, 49 Moorend Road, Leckhampton, Cheltenham, Gloucestershire GL53 0ET
Earth : Paul Bennett, 5 Dockfield Terrace, Shipley, West Yorkshire BD17 7AW
London Earth Mysteries Circle Journal : Rob Stephenson, 18 Christchurch Avenue, Brondesbury, Londres NW6 7QN

New England Antiquities Research Association Journal :
  3 Whitney Drive,
  Paxton, Ma 01612, USA
Stonehenge Viewpoint, 2821 De La Vina Street,
  Santa Barbara, Cal 93105, USA
Research into Lost Knowledge Organisation (RILKO) :
  10 Kedleston Drive, Orpington, Kent BD5 2DR
Dragon Project Trust
(association non lucrative depuis 1987, qui accepte les dons) :
  c/o Empress, PO Box 92, Penzance, Cornwall TR18 2XL

OUVRAGES EN FRANÇAIS SUR LE SUJET :

Carnac, les sites sacrés, Myriam Philibert, Éditions du Rocher.
Stonehenge et son secret, Myriam Philibert, Éditions du Rocher.
Hauts Lieux cosmo-telluriques, énergies subtiles et méconnues,
Blanche Merz, Georg éd., Genève.
La Puissance du mythe, Joseph Campbell, J'ai lu New Age.
La Terre est un être vivant, James Lovelock, Éditions du Rocher.
Les Âges de Gaïa, James Lovelock, Robert Laffont.
Comment soigner la Terre, James Lovelock, Robert Laffont.
Les Noces avec la Terre, Roland de Miller, Éd. Scriba.
La Nature et le sacré, Mario Mercier, Dangles.
Santé et cosmo-tellurisme, G. Altenbach et B. Legrais, Dangles.
Habitat et santé, G. Altenbach et B. Legrais, Cosmitel.
La Médecine de l'habitat, Jacques La Maya, Dangles.
La Force de guérison de l'Arbre de Vie, Helmut Hark, Dangles.
Les Labyrinthes, Sig Lonegren, Dangles.
Théorie et pratique de la géomancie, Jean-Paul Ronecker, Dangles.
Ki, énergie pour tous, Louise Taylor et Betty Bryant, Guy Trédaniel.
La Voie de l'énergie, Vlady Stevanovitch, Dangles.
Visualisation de guérison, Dr Gérald Epstein, Jouvence.
La Créativité onirique, Patricia Garfield, La Table Ronde.
Ces ondes qui nous soignent, Roger Le Lann, Éditions du Rocher.

MAGAZINES :

Archeologia et *Dossiers d'archéologie*
25, rue Berbisey, 21000 Dijon.

Cet ouvrage a été réalisé par la
SOCIÉTÉ NOUVELLE FIRMIN-DIDOT
Mesnil-sur-l'Estrée
pour le compte des Éditions du Rocher
en mai 1995

Éditions du Rocher
28, rue Comte-Félix-Gastaldi
Monaco

Imprimé en France
Dépôt légal : mai 1995
CNE section commerce et industrie Monaco : 19023
N° d'impression : 30853